D0519468

FOLIO PLUS

Raymond Queneau

Exercices
de style

Gallimard

Notations

Dans l'S [1], à une heure d'affluence. Un type dans les vingt-six ans, chapeau mou avec cordon remplaçant le ruban, cou trop long comme si on lui avait tiré dessus. Les gens descendent. Le type en question s'irrite contre un voisin. Il lui reproche de le bousculer chaque fois qu'il passe quelqu'un. Ton pleurnichard qui se veut méchant. Comme il voit une place libre, se précipite dessus.

Deux heures plus tard, je le rencontre Cour de Rome, devant la gare Saint-Lazare. Il est avec un camarade qui lui dit : « Tu devrais faire mettre un bouton supplémentaire à ton pardessus. » Il lui montre où (à l'échancrure) et pourquoi.

---

[*] Les notes, établies par Jean-Pierre Renard, sont regroupées en fin de volume, p. 155.

En partie double

Vers le milieu de la journée et à midi, je me trouvai et montai sur la plate-forme et la terrasse arrière d'un autobus et d'un véhicule des transports en commun bondé et quasiment complet de la ligne S et qui va de la Contrescarpe à Champerret[2]. Je vis et remarquai un jeune homme et un vieil adolescent assez ridicule et pas mal grotesque : cou maigre et tuyau décharné, ficelle et cordelière autour du chapeau et couvre-chef. Après une bousculade et confusion, il dit et profère d'une voix et d'un ton larmoyants et pleurnichards que son voisin et covoyageur fait exprès et s'efforce de le pousser et de l'importuner chaque fois qu'on descend et sort. Cela déclaré et après avoir ouvert la bouche, il se précipite et se dirige vers une place et un siège vides et libres.

Deux heures après et cent vingt minutes plus tard, je le rencontre et le revois Cour de Rome et devant la gare Saint-Lazare. Il est et se trouve avec un ami et copain qui lui conseille de et l'incite à faire ajouter et coudre un bouton et un rond de corozo à son pardessus et manteau.

Litotes

Nous étions quelques-uns à nous déplacer de conserve. Un jeune homme, qui n'avait pas l'air très intelligent, parla quelques instants avec un monsieur qui se trouvait à côté de lui, puis il alla s'asseoir. Deux heures plus tard, je le rencontrai de nouveau ; il était en compagnie d'un camarade et parlait chiffons.

Métaphoriquement

Au centre du jour, jeté dans le tas des sardines voyageuses d'un coléoptère à l'abdomen blanchâtre, un poulet au grand cou déplumé harangua soudain l'une, paisible, d'entre elles et son langage se déploya dans les airs, humide d'une protestation. Puis, attiré par un vide, l'oisillon s'y précipita.

Dans un morne désert urbain, je le revis le jour même se faisant moucher l'arrogance pour un quelconque bouton.

Rétrograde [3]

Tu devrais ajouter un bouton à ton pardessus, lui dit son ami. Je le rencontrai au milieu de la Cour de Rome, après l'avoir quitté se précipitant avec avidité vers une place assise. Il venait de protester contre la poussée d'un autre voyageur, qui, disait-il, le bousculait chaque fois qu'il descendait quelqu'un. Ce jeune homme décharné était porteur d'un chapeau ridicule. Cela se passa sur la plate-forme d'un S complet ce midi-là.

Surprises

Ce que nous étions serrés sur cette plate-forme d'autobus ! Et ce que ce garçon pouvait avoir l'air bête et ridicule ! Et que fait-il ? Ne le voilà-t-il pas qui se met à vouloir se quereller avec un bonhomme qui — prétendait-il ! ce damoiseau ! — le bousculait ! Et ensuite il ne trouve rien de mieux à faire que d'aller vite occuper une place laissée libre ! Au lieu de la laisser à une dame !

Deux heures après, devinez qui je rencontre devant la gare Saint-Lazare ? Le même godelureau ! En train de se faire donner des conseils vestimentaires ! Par un camarade !

A ne pas croire !

Rêve

Il me semblait que tout fût brumeux et nacré autour de moi, avec des présences multiples et indistinctes, parmi lesquelles cependant se dessinait assez nettement la seule figure d'un homme jeune dont le cou trop long semblait annoncer déjà par lui-même le caractère à la fois lâche et rouspéteur du personnage. Le ruban de son chapeau était remplacé par une ficelle tressée. Il se disputait ensuite avec un individu que je ne voyais pas, puis, comme pris de peur, il se jetait dans l'ombre d'un couloir.

Une autre partie du rêve me le montre marchant en plein soleil devant la gare Saint-Lazare. Il est avec un compagnon qui lui dit : « Tu devrais faire ajouter un bouton à ton pardessus. »

Là-dessus, je m'éveillai.

Pronostications

Lorsque viendra midi, tu te trouveras sur la plate-forme arrière d'un autobus où s'entasseront des voyageurs parmi lesquels tu remarqueras un ridicule jouvenceau : cou squelettique et point de ruban au feutre mou. Il ne se trouvera pas bien, ce petit. Il pensera qu'un monsieur le pousse exprès, chaque fois qu'il passe des gens qui montent ou descendent. Il le lui dira, mais l'autre ne répondra pas, méprisant. Et le ridicule jouvenceau, pris de panique, lui filera sous le nez, vers une place libre.

Tu le reverras un peu plus tard, Cour de Rome, devant la gare Saint-Lazare. Un ami l'accompagnera, et tu entendras ces paroles : « Ton pardessus ne croise pas bien ; il faut que tu y fasses ajouter un bouton. »

Synchyses [4]

Ridicule jeune homme, que je me trouvai un jour sur un autobus de la ligne S bondé par traction peut-être cou allongé, au chapeau la cordelière, je remarquai un. Arrogant et larmoyant d'un ton, qui se trouve à côté de lui, contre ce monsieur, proteste-t-il. Car il le pousserait, fois chaque que des gens il descend. Libre il s'assoit et se précipite vers une place, cela dit. Rome (Cour de) je le rencontre plus tard deux heures à son pardessus un bouton d'ajouter un ami lui conseille.

L'arc-en-ciel

Un jour, je me trouvai sur la plate-forme d'un autobus violet. Il y avait là un jeune homme assez ridicule : cou indigo, cordelière au chapeau. Tout d'un coup, il proteste contre un monsieur bleu. Il lui reproche notamment, d'une voix verte, de le bousculer chaque fois qu'il descend des gens. Cela dit, il se précipite, vers une place jaune, pour s'y asseoir.

Deux heures plus tard, je le rencontre devant une gare orangée. Il est avec un ami qui lui conseille de faire ajouter un bouton à son pardessus rouge.

Logo-rallye[5]

(Dot, baïonnette, ennemi, chapelle, atmosphère, Bastille, correspondance.)

Un jour, je me trouvai sur la plate-forme d'un
autobus qui devait sans doute faire partie de la
dot de la fille de M. Mariage, qui présida aux
destinées de la TCRP[6]. Il y avait là un jeune
homme assez ridicule, non parce qu'il ne portait
pas de baïonnette, mais parce qu'il avait l'air d'en
porter une tout en n'en portant pas. Tout d'un
coup ce jeune homme s'attaque à son ennemi : un
monsieur placé derrière lui. Il l'accuse notamment
de ne pas se comporter aussi poliment que dans
une chapelle. Ayant ainsi tendu l'atmosphère, le
foutriquet va s'asseoir.

Deux heures plus tard, je le rencontre à deux ou
trois kilomètres de la Bastille avec un camarade

qui lui conseillait de faire ajouter un bouton à son pardessus, avis qu'il aurait très bien pu lui donner par correspondance.

Hésitations

Je ne sais pas très bien où ça se passait... dans
une église, une poubelle, un charnier ? Un autobus peut-être ? Il y avait là... mais qu'est-ce qu'il y
avait donc là ? Des œufs, des tapis, des radis ? Des
squelettes ? Oui, mais avec encore leur chair
autour, et vivants. Je crois bien que c'est ça. Des
gens dans un autobus. Mais il y en avait un (ou
deux ?) qui se faisait remarquer, je ne sais plus
très bien par quoi. Par sa mégalomanie ? Par son
adiposité ? Par sa mélancolie ? Mieux... plus exac-
tement... par sa jeunesse ornée d'un long... nez ?
menton ? pouce ? non : cou, et d'un chapeau
étrange, étrange, étrange. Il se prit de querelle,
oui c'est ça, avec sans doute un autre voyageur
(homme ou femme ? enfant ou vieillard ?). Cela se
termina, cela finit bien par se terminer d'une

façon quelconque, probablement par la fuite de l'un des deux adversaires.

Je crois bien que c'est le même personnage que je rencontrai, mais où ? Devant une église ? devant un charnier ? devant une poubelle ? Avec un camarade qui devait lui parler de quelque chose, mais de quoi ? de quoi ? de quoi ?

Précisions

A 12 h 17 dans un autobus de la ligne S, long de 10 mètres, large de 2,1, haut de 3,5, à 3 km 600 de son point de départ, alors qu'il était chargé de 48 personnes, un individu du sexe masculin, âgé de 27 ans 3 mois 8 jours, taille 1 m 72 et pesant 65 kg et portant sur la tête un chapeau haut de 17 centimètres dont la calotte était entourée d'un ruban long de 35 centimètres, interpelle un homme âgé de 48 ans 4 mois 3 jours, taille 1 m 68 et pesant 77 kg, au moyen de 14 mots dont l'énonciation dura 5 secondes et qui faisaient allusion à des déplacements involontaires de 15 à 20 millimètres. Il va ensuite s'asseoir à quelque 2 m 10 de là.

118 minutes plus tard, il se trouvait à 10 mètres de la gare Saint-Lazare, entrée banlieue, et se

promenait de long en large sur un trajet de 30 mètres avec un camarade âgé de 28 ans, taille 1 m 70 et pesant 71 kg qui lui conseilla en 15 mots de déplacer de 5 centimètres, dans la direction du zénith, un bouton de 3 centimètres de diamètre.

Le côté subjectif

Je n'étais pas mécontent de ma vêture, ce jourd'hui. J'inaugurais un nouveau chapeau, assez coquin, et un pardessus dont je pensais grand bien. Rencontré X devant la gare Saint-Lazare qui tente de gâcher mon plaisir en essayant de me démontrer que ce pardessus est trop échancré et que j'y devrais rajouter un bouton supplémentaire. Il n'a tout de même pas osé s'attaquer à mon couvre-chef.

Un peu auparavant, rembarré de belle façon une sorte de goujat qui faisait exprès de me brutaliser chaque fois qu'il passait du monde, à la descente ou à la montée. Cela se passait dans un de ces immondes autobi[7] qui s'emplissent de populus précisément aux heures où je dois consentir à les utiliser.

Autre subjectivité

Il y avait aujourd'hui dans l'autobus à côté de moi, sur la plate-forme, un de ces morveux comme on n'en fait guère, heureusement, sans ça je finirais par en tuer un. Celui-là, un gamin dans les vingt-six, trente ans, m'irritait tout spécialement non pas tant à cause de son grand cou de dindon déplumé que par la nature du ruban de son chapeau, ruban réduit à une sorte de ficelle de teinte aubergine. Ah! le salaud! Ce qu'il me dégoûtait! Comme il y avait beaucoup de monde dans notre autobus à cette heure-là, je profitais des bousculades qui ont lieu à la montée ou à la descente pour lui enfoncer mon coude entre les côtelettes. Il finit par s'esbigner lâchement avant que je me décide à lui marcher un peu sur les arpions pour lui faire les pieds. Je lui aurais dit aussi, afin de le vexer, qu'il manquait un bouton à son pardessus trop échancré.

Récit

Un jour vers midi du côté du parc Monceau, sur la plate-forme arrière d'un autobus à peu près complet de la ligne S (aujourd'hui 84)[8], j'aperçus un personnage au cou fort long qui portait un feutre mou entouré d'un galon tressé au lieu de ruban. Cet individu interpella tout à coup son voisin en prétendant que celui-ci faisait exprès de lui marcher sur les pieds chaque fois qu'il montait ou descendait des voyageurs. Il abandonna d'ailleurs rapidement la discussion pour se jeter sur une place devenue libre.

Deux heures plus tard, je le revis devant la gare Saint-Lazare en grande conversation avec un ami qui lui conseillait de diminuer l'échancrure de son pardessus en en faisant remonter le bouton supérieur par quelque tailleur compétent.

Composition de mots

Je plate-d'autobus-formais co-foultitudinaire-ment[9] dans un espace-temps lutécio[10]-méridiennal et voisinais avec un longicol[11] tresseautourducha-peauté morveux. Lequel dit à un quelconquano-nyme : « Vous me bousculapparaissez. » Cela éjaculé, se placelibra voracement. Dans une spa-tiotemporalité postérieure, je le revis qui place-saintlazarait avec un X qui lui disait : tu devrais boutonsupplémenter ton pardessus. Et il pour-quexpliquait la chose.

Négativités

Ce n'était ni un bateau, ni un avion, mais un moyen de transport terrestre. Ce n'était ni le matin, ni le soir, mais midi. Ce n'était ni un bébé, ni un vieillard, mais un homme jeune. Ce n'était ni un ruban, ni une ficelle, mais du galon tressé. Ce n'était ni une procession, ni une bagarre, mais une bousculade. Ce n'était ni un aimable, ni un méchant, mais un rageur. Ce n'était ni une vérité, ni un mensonge, mais un prétexte. Ce n'était ni un debout, ni un gisant, mais un voulant-être[12] assis.

Ce n'était ni la veille, ni le lendemain, mais le jour même. Ce n'était ni la gare du Nord, ni la gare de Lyon mais la gare Saint-Lazare. Ce n'était ni un parent, ni un inconnu, mais un ami. Ce n'était ni une injure, ni une moquerie, mais un conseil vestimentaire.

Animisme

Un chapeau mou, brun, fendu, les bords baissés, la forme entourée d'une tresse de galon, un chapeau se tenait parmi les autres, tressautant seulement des inégalités du sol transmises par les roues du véhicule automobile qui le transportait, lui le chapeau. A chaque arrêt, les allées et venues des voyageurs lui donnaient des mouvements latéraux parfois assez prononcés, ce qui finit par le fâcher, lui le chapeau. Il exprima son ire par l'intermédiaire d'une voix humaine à lui rattachée par une masse de chair structuralement disposée autour d'une quasi-sphère osseuse perforée de quelques trous qui se trouvait sous lui, lui le chapeau. Puis il alla soudain s'asseoir, lui le chapeau.

Une ou deux heures plus tard, je le revis se

déplaçant à quelque un mètre soixante-six au-dessus du sol et de long en large devant la gare Saint-Lazare, lui le chapeau. Un ami lui conseillait de faire ajouter un bouton supplémentaire à son pardessus... un bouton supplémentaire... à son pardessus... lui dire ça... à lui... lui le chapeau.

Anagrammes

Dans l'S à une rhuee d'effluenca un pety dans les stingvix nas, qui tavia un drang ouc miagre et un peaucha nigar d'un drocon au lieu ed nubar, se pisaduit avec un treau guervayo qu'il cacusait de le suboculer neovalotriment. Ayant ainsi nulripecher, il se ciréppite sur une cepal rilbe.

Une huree plus drat, je le conterne à la Cuor ed More, devant la rage Tsian-Zalare. Il étiat avec un dacamare qui lui sidait : « Tu verdais fiare temter un toubon plusplémentiare à ton sessudrap. » Il lui tromnai où (à l'échancrure) [13].

Distinguo

Dans un autobus (qu'il ne faut pas prendre pour un autre obus), je vis (et pas avec une vis) un personnage (qui ne perd son âge) coiffé d'un chapeau (pas d'une peau de chat) cerné d'un fil tressé (et non de tril fessé). Il possédait (et non pot cédait) un long cou (et pas un loup con). Comme la foule se bousculait (non que la boule se fousculât), un nouveau voyageur (et non un veau nouillageur) déplaça le susdit (et non suça ledit plat). Cestuy râla (et non cette huître hala), mais voyant une place libre (et non ployant une vache ivre) s'y précipita (et non si près s'y piqua).

Plus tard je l'aperçus (non pas gel à peine su) devant la gare Saint-Lazare (et non là où l'hagard ceint le hasard) qui parlait avec un copain (il n'écopait pas d'un pralin) au sujet d'un bouton de son manteau (qu'il ne faut pas confondre avec le bout haut de son menton).

Homéotéleutes [14]

Un jour de canicule sur un véhicule où je circule, gesticule un funambule au bulbe minuscule, à la mandibule en virgule et au capitule [15] ridicule. Un somnambule l'accule et l'annule, l'autre articule : « crapule », mais dissimule ses scrupules, recule, capitule et va poser ailleurs son cul.

Une hule aprule, devant la gule Saint-Lazule je l'aperçule qui discule à propos de boutules, de boutules de pardessule.

Lettre officielle

J'ai l'honneur de vous informer des faits suivants dont j'ai pu être le témoin aussi impartial qu'horrifié.

Ce jour même, aux environs de midi, je me trouvais sur la plate-forme d'un autobus qui remontait la rue de Courcelles en direction de la place Champerret. Ledit autobus était complet, plus que complet même, oserai-je dire, car le receveur avait pris en surcharge plusieurs impétrants, sans raison valable et mû par une bonté d'âme exagérée qui le faisait passer outre aux règlements et qui, par suite, frisait l'indulgence. A chaque arrêt, les allées et venues des voyageurs descendants et montants ne manquaient pas de provoquer une certaine bousculade qui incita l'un de ces voyageurs à protester, mais non sans timidité. Je dois dire qu'il alla s'asseoir dès que la chose fut possible.

J'ajouterai à ce bref récit cet addendum : j'eus l'occasion d'apercevoir ce voyageur quelque temps après en compagnie d'un personnage que je n'ai pu identifier. La conversation qu'ils échangeaient avec animation semblait avoir trait à des questions de nature esthétique.

Étant donné ces conditions, je vous prie de vouloir bien, Monsieur, m'indiquer les conséquences que je dois tirer de ces faits et l'attitude qu'ensuite il vous semblera bon que je prenne dans la conduite de ma vie subséquente.

Dans l'attente de votre réponse, je vous assure, Monsieur, de ma parfaite considération empressée au moins.

Prière d'insérer [16]

Dans son nouveau roman, traité avec le brio qui
lui est propre, le célèbre romancier X, à qui nous
devons déjà tant de chefs-d'œuvre, s'est appliqué
à ne mettre en scène que des personnages bien
dessinés et agissant dans une atmosphère compré-
hensible par tous, grands et petits. L'intrigue
tourne donc autour de la rencontre dans un
autobus du héros de cette histoire et d'un personnage assez énigmatique qui se querelle avec le
premier venu. Dans l'épisode final, on voit ce
mystérieux individu écoutant avec la plus grande
attention les conseils d'un ami, maître en dandysme. Le tout donne une impression charmante
que le romancier X a burinée avec un rare
bonheur.

38

Onomatopées

Sur la plate-forme, pla pla pla, d'un autobus, teuff teuff teuff, de la ligne S (pour qui sont ces serpents qui sifflent sur) [17], il était environ midi, ding din don, ding din don, un ridicule éphèbe, proüt, proüt, qui avait un de ces couvre-chefs, phui, se tourna (virevolte, virevolte) soudain vers son voisin d'un air de colère, rreuh, rreuh, et lui dit, hm hm : « Vous faites exprès de me bousculer, monsieur. » Et toc. Là-dessus, vroutt, il se jette sur une place libre et s'y assoit, boum.

Ce même jour, un peu plus tard, ding din don, ding din don, je le revis en compagnie d'un autre éphèbe, proüt, proüt, qui lui causait bouton de pardessus (brr, brr, brr, il ne faisait donc pas si chaud que ça...).

Et toc.

Analyse logique

Autobus.
Plate-forme.
Plate-forme d'autobus. C'est le lieu.
Midi.
Environ.
Environ midi. C'est le temps.
Voyageurs.
Querelle.
Une querelle de voyageurs. C'est l'action.
Homme jeune.
Chapeau. Long cou maigre.
Un jeune homme avec un chapeau et un galon
    tressé autour. C'est le personnage principal.
Quidam.
Un quidam.
Un quidam. C'est le personnage second.

Moi.

Moi.

Moi. C'est le tiers personnage. Narrateur.

Mots.

Mots.

Mots. C'est ce qui fut dit.

Place libre.

Place occupée.

Une place libre ensuite occupée. C'est le résultat.

La gare Saint-Lazare.

Une heure plus tard.

Un ami.

Un bouton.

Autre phrase entendue. C'est la conclusion.

Conclusion logique.

Insistance

Un jour, vers midi, je montai dans un autobus presque complet de la ligne S. Dans un autobus presque complet de la ligne S, il y avait un jeune homme assez ridicule. Je montais dans le même autobus que lui, et ce jeune homme, monté avant moi dans ce même autobus de la ligne S, presque complet, vers midi, portait sur la tête un chapeau que je trouvai bien ridicule, moi qui étais monté dans le même autobus que ce jeune homme, sur la ligne S, un jour, vers midi.

Ce chapeau était entouré d'une sorte de galon tressé comme celui d'une fourragère, et le jeune homme qui le portait, ce chapeau — et de galon —, se trouvait dans le même autobus que moi, un autobus presque complet parce qu'il était midi ; et, sous ce chapeau, dont le galon imitait une fourragère, s'allongeait un visage suivi d'un long, long cou. Ah ! qu'il était long le cou de ce jeune homme qui portait un chapeau entouré d'une fourragère, sur un autobus de la ligne S, un jour vers midi.

La bousculade était grande dans l'autobus qui nous transportait vers le terminus de la ligne S, un jour vers midi, moi et ce jeune homme qui plaçait un long cou sous un chapeau ridicule. Des heurts qui se produisaient résulta soudain une protestation, protestation qui émana de ce jeune homme qui avait un si long cou sur la plate-forme d'un autobus de la ligne S, un jour vers midi.

Il y eut une accusation formulée d'une voix mouillée de dignité blessée, parce que sur la plate-forme d'un autobus S, un jeune homme avait un chapeau muni d'une fourragère tout autour, et un long cou ; il y eut aussi une place vide tout à coup dans cet autobus de la ligne S presque complet parce qu'il était midi, place qu'occupa bientôt le jeune homme au long cou et au chapeau ridicule, place qu'il convoitait parce qu'il ne voulait plus se faire bousculer sur cette plate-forme d'autobus, un jour, vers midi.

Deux heures plus tard, je le revis devant la gare Saint-Lazare, ce jeune homme que j'avais remarqué sur la plate-forme d'un autobus de la ligne S, ce jour même, vers midi. Il était avec un compagnon de son acabit qui lui donnait un conseil relatif à certain bouton de son pardessus. L'autre l'écoutait attentivement. L'autre, c'est ce jeune homme qui avait une fourragère autour de son chapeau, et que je vis sur la plate-forme d'un autobus de la ligne S, presque complet, un jour, vers midi.

Ignorance

Moi, je ne sais pas ce qu'on me veut. Oui, j'ai pris l'S vers midi. Il y avait du monde ? Bien sûr, à cette heure-là. Un jeune homme avec un chapeau mou ? C'est bien possible. Moi, je n'examine pas les gens sous le nez. Je m'en fous. Une espèce de galon tressé ? Autour du chapeau ? Je veux bien que ça soit une curiosité, mais moi, ça ne me frappe pas autrement. Un galon tressé... Il s'aurait querellé avec un autre monsieur ? C'est des choses qu'arrivent.

Et ensuite je l'aurais de nouveau revu une heure ou deux plus tard ? Pourquoi pas ? Il y a des choses encore plus curieuses dans la vie. Ainsi, je me souviens que mon père me racontait souvent que...

Passé indéfini

Je suis monté dans l'autobus de la porte Champerret. Il y avait beaucoup de monde, des jeunes, des vieux, des femmes, des militaires. J'ai payé ma place et puis j'ai regardé autour de moi. Ce n'était pas très intéressant. J'ai quand même fini par remarquer un jeune homme dont j'ai trouvé le cou trop long. J'ai examiné son chapeau et je me suis aperçu qu'au lieu d'un ruban il y avait un galon tressé. Chaque fois qu'un nouveau voyageur est monté il y a eu de la bousculade. Je n'ai rien dit, mais le jeune homme au long cou a tout de même interpellé son voisin. Je n'ai pas entendu ce qu'il lui a dit, mais ils se sont regardés d'un sale œil. Alors, le jeune homme au long cou est allé s'asseoir précipitamment.

En revenant de la porte Champerret, je suis

passé devant la gare Saint-Lazare. J'ai vu mon type qui discutait avec un copain. Celui-ci a désigné du doigt un bouton juste au-dessus de l'échancrure du pardessus. Puis l'autobus m'a emmené et je ne les ai plus vus. J'étais assis et je n'ai pensé à rien.

Présent

A midi, la chaleur s'étale autour des pieds des voyageurs d'autobus. Que, placée sur un long cou, une tête stupide, ornée d'un chapeau grotesque vienne à s'enflammer, aussitôt pète la querelle. Pour foirer bien vite d'ailleurs, en une atmosphère lourde pour porter encore trop vivantes de bouche à oreille, des injures définitives. Alors, on va s'asseoir à l'intérieur, au frais.

Plus tard peuvent se poser, devant des gares aux cours doubles[18], des questions vestimentaires, à propos de quelque bouton que des doigts gras de sueur tripotent avec assurance.

Passé simple

Ce fut midi. Les voyageurs montèrent dans l'autobus. On fut serré. Un jeune monsieur porta sur sa tête un chapeau entouré d'une tresse, non d'un ruban. Il eut un long cou. Il se plaignit auprès de son voisin des heurts que celui-ci lui infligea. Dès qu'il aperçut une place libre, il se précipita vers elle et s'y assit.

Je l'aperçus plus tard devant la gare Saint-Lazare. Il se vêtit d'un pardessus et un camarade qui se trouva là lui fit cette remarque : il fallut mettre un bouton supplémentaire.

Imparfait

C'était midi. Les voyageurs montaient dans l'autobus. On était serré. Un jeune monsieur portait sur sa tête un chapeau qui était entouré d'une tresse et non d'un ruban. Il avait un long cou. Il se plaignait auprès de son voisin des heurts que ce dernier lui infligeait. Dès qu'il apercevait une place libre, il se précipitait vers elle et s'y asseyait.

Je l'apercevais plus tard, devant la gare Saint-Lazare. Il se vêtait d'un pardessus et un camarade qui se trouvait là lui faisait cette remarque : il fallait mettre un bouton supplémentaire.

Alexandrins

Un jour, dans l'autobus qui porte la lettre S,
Je vis un foutriquet de je ne sais quelle es-
Pèce qui râlait bien qu'autour de son turban
Il y eût de la tresse en place de ruban.
Il râlait ce jeune homme à l'allure insipide,
Au col démesuré, à l'haleine putride,
Parce qu'un citoyen qui paraissait majeur
Le heurtait, disait-il, si quelque voyageur
Se hissait haletant et poursuivi par l'heure
Espérant déjeuner en sa chaste demeure.
Il n'y eut point d'esclandre et le triste quidam
Courut vers une place et s'assit sottement.
Comme je retournais direction rive gauche
De nouveau j'aperçus ce personnage moche
Accompagné d'un zèbre, imbécile dandy,
Qui disait : « Ce bouton faut pas le mettre icy. »

Polyptotes [19]

Je montai dans un autobus plein de contribuables qui donnaient des sous à un contribuable qui avait sur son ventre de contribuable une petite boîte qui contribuait à permettre aux autres contribuables de continuer leur trajet de contribuables. Je remarquai dans cet autobus un contribuable au long cou de contribuable et dont la tête de contribuable supportait un chapeau mou de contribuable ceint d'une tresse comme jamais n'en porta contribuable. Soudain ledit contribuable interpelle un contribuable de voisin en lui reprochant amèrement de lui marcher exprès sur ses pieds de contribuable chaque fois que d'autres contribuables montaient ou descendaient de l'autobus pour contribuables. Puis le contribuable irrité alla s'asseoir à la place pour contribuable que venait de laisser libre un autre contribuable. Quelques heures de contribuable plus tard, je l'aperçus dans la Cour pour contribuables de Rome, en compagnie d'un contribuable qui lui donnait des conseils d'élégance de contribuable.

Aphérèses

Tai obus yageurs. Marquai ne me tait ble lui rafe tait peau vec lon sé. Ère tre tre geur chant cher eds que tait dait de. La seoir ne ce tait bre.

Tournant ve che, çus chait ge vec mi nait seils ance trant mier ton essus.

Apocopes

Je mon dans un aut plein de voya. Je remar un jeu hom dont le cou é sembla à ce de la gira et qui por un cha a un ga tres. Il se mit en col con un au voya, lui repro de lui mar sur les pi cha fois qu'il mon ou descen du mon. Puis il al s'as car u pla é li.

Re ri gau, je l'aper qui mar en long et en lar a un a qui lui don des con d'élég en lui mon le pre bou de son pard.

Syncopes

Je mtai ds aubus plein dvyageurs. Je rarquai un jhomme au coublebleluirafe et au chapaltrés. Il se mit en colcautre vyageur car il lui rechait de lui marpier. Puis il ocpa une pce denue lbre.

En fant le mêmin en sinverse, je l'açus à Courome qui prait une lon d'égance àjet d'un bton.

Moi je

Moi je comprends ça : un type qui s'acharne à vous marcher sur les pinglots[20], ça vous fout en rogne. Mais après avoir protesté aller s'asseoir comme un péteux, moi, je comprends pas ça. Moi j'ai vu ça l'autre jour sur la plate-forme arrière d'un autobus S. Moi je lui trouvais le cou un peu long à ce jeune homme et aussi bien rigolote cette espèce de tresse qu'il avait autour de son chapeau. Moi jamais j'oserais me promener avec un couvre-chef pareil. Mais c'est comme je vous le dis, après avoir gueulé contre un autre voyageur qui lui marchait sur les pieds, ce type est allé s'asseoir sans plus. Moi, je lui aurais foutu une baffe à ce salaud qui m'aurait marché sur les pieds.

Il y a des choses curieuses dans la vie, moi je vous le dis, il n'y a que les montagnes qui ne se rencontrent pas. Deux heures plus tard, moi je rencontre de nouveau ce garçon. Moi, je l'aperçois devant la gare Saint-Lazare. Moi, je le vois en compagnie d'un copain de sa sorte qui lui disait, moi je l'ai entendu : « Tu devrais remonter ce bouton-là. » Moi, je l'ai bien vu, il désignait le bouton supérieur.

Exclamations

Tiens ! Midi ! temps de prendre l'autobus ! que de monde ! que de monde ! ce qu'on est serré ! marrant ! ce gars-là ! quelle trombine ! et quel cou ! soixante-quinze centimètres ! au moins ! et le galon ! le galon ! je n'avais pas vu ! le galon ! c'est le plus marrant ! ça ! le galon ! autour de son chapeau ! Un galon ! marrant ! absolument marrant ! ça y est le voilà qui râle ! le type au galon ! contre un voisin ! qu'est-ce qu'il lui raconte ! L'autre ! lui aurait marché sur les pieds ! Ils vont se fiche des gifles ! pour sûr ! mais non ! mais si ! va h y ! va h y ! mords y l'œil ! fonce ! cogne ! mince alors ! mais non ! il se dégonfle ! le type ! au long cou ! au galon ! c'est sur une place vide qu'il fonce ! oui ! le gars !

Eh bien ! vrai ! non ! je ne me trompe pas ! c'est

bien lui ! là-bas ! dans la Cour de Rome ! devant la gare Saint-Lazare ! qui se balade en long et en large ! avec un autre type ! et qu'est-ce que l'autre lui raconte ! qu'il devrait ajouter un bouton ! oui ! un bouton à son pardessus ! A son pardessus !

Alors

Alors l'autobus est arrivé. Alors j'ai monté dedans. Alors j'ai vu un citoyen qui m'a saisi l'œil. Alors j'ai vu son long cou et j'ai vu la tresse qu'il y avait autour de son chapeau. Alors il s'est mis à pester contre son voisin qui lui marchait alors sur les pieds. Alors, il est allé s'asseoir.

Alors, plus tard, je l'ai revu Cour de Rome. Alors il était avec un copain. Alors, il lui disait, le copain : tu devrais faire mettre un autre bouton à ton pardessus. Alors.

Ampoulé[21]

A l'heure où commencent à se gercer les doigts roses de l'aurore[22], je montai tel un dard rapide dans un autobus à la puissante stature et aux yeux de vache[23] de la ligne S au trajet sinueux. Je remarquai, avec la précision et l'acuité de l'Indien sur le sentier de la guerre, la présence d'un jeune homme dont le col était plus long que celui de la girafe au pied rapide[24], et dont le chapeau de feutre mou fendu s'ornait d'une tresse, tel le héros d'un exercice de style. La funeste Discorde aux seins de suie[25] vint de sa bouche empestée par un néant de dentifrice, la Discorde, dis-je, vint souffler son virus malin entre ce jeune homme au col de girafe et à la tresse autour du chapeau, et un voyageur à la mine indécise et farineuse. Celui-là s'adressa en ces termes à celui-ci : « Dites-moi, méchant homme, on dirait que vous faites exprès de me marcher sur les pieds ! » Ayant dit ces mots, le jeune homme au col de girafe et à la tresse autour du chapeau s'alla vite asseoir.

Plus tard, dans la Cour de Rome aux majestueuses proportions, j'aperçus de nouveau le jeune homme au cou de girafe et à la tresse autour du chapeau, accompagné d'un camarade arbitre des élégances qui proférait cette critique que je pus entendre de mon oreille agile, critique adressée au vêtement le plus extérieur du jeune homme au col de girafe et à la tresse autour du chapeau : « Tu devrais en diminuer l'échancrure par l'addition ou l'exhaussement d'un bouton à la périphérie circulaire. »

Vulgaire

L'était un peu plus dmidi quand j'ai pu monter dans l'esse. Jmonte donc, jpaye ma place comme de bien entendu et voilàtipas qu'alors jremarque un zozo l'air pied, avec un cou qu'on aurait dit un télescope et une sorte de ficelle autour du galurin. Je lregarde passeque jlui trouve l'air pied quand le voilàtipas qu'ismet à interpeller son voisin. Dites donc, qu'il lui fait, vous pourriez pas faire attention, qu'il ajoute, on dirait, qu'i pleurniche, quvous lfaites essprais, qu'i bafouille, deummarcher toutltemps sullé panards, qu'i dit. Là-dssus, tout fier de lui, i va s'asseoir. Comme un pied.

Jrepasse plus tard Cour de Rome et jl'aperçois qui discute le bout de gras avec autre zozo de son espèce. Dis donc, qu'i lui faisait l'autre, tu dvrais, qu'i lui disait, mettre un ottbouton, qu'il ajoutait, à ton pardingue, qu'i concluait.

Interrogatoire

— A quelle heure ce jour-là passa l'autobus de la ligne S de midi 23, direction porte de Champerret ?

— A midi 38.

— Y avait-il beaucoup de monde dans l'autobus de la ligne S sus-désigné ?

— Des flopées.

— Qu'y remarquâtes-vous de particulier ?

— Un particulier qui avait un très long cou et une tresse autour de son chapeau.

— Son comportement était-il aussi singulier que sa mise et son anatomie ?

— Tout d'abord non ; il était normal, mais il finit par s'avérer être celui d'un cyclothymique paranoïaque légèrement hypotendu dans un état d'irritabilité hypergastrique.

— Comment cela se traduisit-il?

— Le particulier en question interpella son voisin sur un ton pleurnichard en lui demandant s'il ne faisait pas exprès de lui marcher sur les pieds chaque fois qu'il montait ou descendait des voyageurs.

— Ce reproche était-il fondé?

— Je l'ignore.

— Comment se termina cet incident?

— Par la fuite précipitée du jeune homme qui alla occuper une place libre.

— Cet incident eut-il un rebondissement?

— Moins de deux heures plus tard.

— En quoi consista ce rebondissement?

— En la réapparition de cet individu sur mon chemin.

— Où et comment le revîtes-vous?

— En passant en autobus devant la cour de Rome.

— Qu'y faisait-il?

— Il prenait une consultation d'élégance.

Comédie

Scène I

(Sur la plate-forme arrière d'un autobus S, un jour, vers midi.)

LE RECEVEUR. — La monnaie, s'iou plaît.

(Des voyageurs lui passent la monnaie.)

Scène II

(L'autobus s'arrête.)

LE RECEVEUR. — Laissons descendre. Priorités ?

Une priorité! C'est complet. Drelin, drelin, drelin.

Scène I

(Même décor.)

PREMIER VOYAGEUR *(jeune, long cou, une tresse autour du chapeau).* — On dirait, monsieur, que vous le faites exprès de me marcher sur les pieds chaque fois qu'il passe des gens.

SECOND VOYAGEUR *(hausse les épaules).*

Scène II

(Un troisième voyageur descend.)

PREMIER VOYAGEUR *(s'adressant au public).* — Chouette! une place libre! J'y cours. *(Il se précipite dessus et l'occupe.)*

Scène I

(La Cour de Rome.)

UN JEUNE ÉLÉGANT *(au premier voyageur, maintenant piéton).* — L'échancrure de ton pardessus est trop large. Tu devrais la fermer un peu en faisant remonter le bouton du haut.

Scène II

(A bord d'un autobus S passant devant la Cour de Rome.)

QUATRIÈME VOYAGEUR. — Tiens, le type qui se trouvait tout à l'heure avec moi dans l'autobus et qui s'engueulait avec un bonhomme. Curieuse rencontre. J'en ferai une comédie en trois actes et en prose.

Apartés

L'autobus arriva tout gonflé de voyageurs. *Pourvu que je ne le rate pas, veine il y a encore une place pour moi.* L'un d'eux *il en a une drôle de tirelire avec son cou démesuré* portait un chapeau de feutre mou entouré d'une sorte de cordelette à la place de ruban *ce que ça a l'air prétentieux* et soudain se mit *tiens qu'est-ce qui lui prend* à vitupérer un voisin *l'autre fait pas attention à ce qu'il lui raconte* auquel il reprochait de lui marcher exprès *a l'air de chercher la bagarre, mais il se dégonflera* sur les pieds. Mais comme une place était libre à l'intérieur *qu'est-ce que je disais,* il tourna le dos et courut l'occuper.

Deux heures plus tard environ *c'est curieux les coïncidences,* il se trouvait Cour de Rome en compagnie d'un ami *un michet*[26] *de son espèce* qui lui désignait de l'index un bouton de son pardessus *qu'est-ce qu'il peut bien lui raconter?*

Paréchèses [27]

Sur la tribune bustérieure d'un bus qui transha-butait vers un but peu bucolique des bureaucrates abutis, un burlesque funambule à la buccule [28] loin du buste et au gibus sans buran, fit brusque-ment du grabuge contre un burgrave qui le bous-culait [29] : « Butor ! y a de l'abus ! » S'attribuant un taburet, il s'y culbuta tel un obus dans une cambuse.

Bultérieurement, en un conciliabule, il butinait cette stibulation [30] : « Buse ! ce globuleux buton buche mal ton burnous ! »

Fantomatique

Nous, garde-chasse de la Plaine-Monceau, avons l'honneur de rendre compte de l'inexplicable et maligne présence dans le voisinage de la porte orientale du Parc de S. A. R. Monseigneur Philippe le sacré duc d'Orléans, ce jour d'huy seize de mai mille sept cent quatre-vingt-trois, d'un chapeau mou de forme inhabituelle et entouré d'une sorte de galon tressé. Conséquemment nous constatâmes l'apparition soudaine sous ledit chapeau d'un homme jeune, pourvu d'un cou d'une longueur extraordinaire et vêtu comme on se vêt sans doute à la Chine. L'effroyable aspect de ce quidam nous glaça les sangs et prévint notre fuite. Ce quidam demeura quelques instants immobile, puis s'agita en grommelant comme s'il repoussait le voisinage d'autres quidams invisibles mais à lui sensibles. Soudain son attention se porta vers son manteau et nous l'entendîmes qui murmurait comme suit : « Il manque un bouton, il manque un bouton. » Il se mit alors en route et prit la direction de la Pépinière. Attiré malgré nous par l'étrangeté de ce phénomène, nous le suivîmes hors des limites attribuées à notre juridiction et nous atteignîmes nous trois le quidam et le chapeau un jardinet désert mais planté de salades. Une plaque bleue d'origine inconnue mais certainement diabolique portait l'inscription « Cour de Rome ». Le quidam s'agita quelques moments encore en murmurant : « Il a voulu me marcher sur les pieds. » Ils disparurent alors, lui d'abord, et quelque temps après, son chapeau. Après avoir dressé procès-verbal de cette liquidation, j'allai boire chopine à la Petite-Pologne[31].

Philosophique

Les grandes villes seules peuvent présenter à la spiritualité phénoménologique les essentialités des coïncidences temporelles et improbabilistes. Le philosophe qui monte parfois dans l'inexistentialité futile et outilitaire d'un autobus S y peut apercevoir avec la lucidité de son œil pinéal les apparences fugitives et décolorées d'une conscience profane affligée du long cou de la vanité et de la tresse chapeautière de l'ignorance. Cette matière sans entéléchie véritable se lance parfois dans l'impératif catégorique de son élan vital et récriminatoire contre l'irréalité néoberkeleyienne d'un mécanisme corporel inalourdi de conscience. Cette attitude morale entraîne alors le plus inconscient des deux vers une spatialité vide où il se décompose en ses éléments premiers et crochus.

La recherche philosophique se poursuit normalement par la rencontre fortuite[32] mais anagogique du même être accompagné de sa réplique inessentielle et couturière, laquelle lui conseille nouménalement de transposer sur le plan de l'entendement le concept de bouton de pardessus situé sociologiquement trop bas.

Apostrophe

O stylographe à la plume de platine, que ta course rapide et sans heurt trace sur le papier au dos satiné les glyphes alphabétiques qui transmettront aux hommes aux lunettes étincelantes le récit narcissique d'une double rencontre à la cause autobusilistique[33]. Fier coursier de mes rêves, fidèle chameau de mes exploits littéraires, svelte fontaine de mots comptés, pesés et choisis, décris les courbes lexicographiques et syntaxiques qui formeront graphiquement la narration futile et dérisoire des faits et gestes de ce jeune homme qui prit un jour l'autobus S sans se douter qu'il deviendrait le héros immortel de mes laborieux travaux d'écrivain. Freluquet au long cou surplombé d'un chapeau cerné d'un galon tressé, roquet rageur, rouspéteur et sans courage qui,

fuyant la bagarre, allas poser ton derrière mois-
sonneur de coups de pieds au cul sur une banquette en bois durci, soupçonnais-tu cette desti-
née rhétorique lorsque, devant la gare Saint-
Lazare, tu écoutais d'une oreille exaltée les
conseils de tailleur d'un personnage qu'inspirait le
bouton supérieur de ton pardessus?

Maladroit

Je n'ai pas l'habitude d'écrire. Je ne sais pas. J'aimerais bien écrire une tragédie ou un sonnet ou une ode, mais il y a les règles. Ça me gêne. C'est pas fait pour les amateurs. Tout ça c'est déjà bien mal écrit. Enfin. En tout cas, j'ai vu aujourd'hui quelque chose que je voudrais bien coucher par écrit. Coucher par écrit ne me paraît pas bien fameux. Ça doit être une de ces expressions toutes faites qui rebutent les lecteurs qui lisent pour les éditeurs qui recherchent l'originalité qui leur paraît nécessaire dans les manuscrits que les éditeurs publient lorsqu'ils ont été lus par les lecteurs que rebutent les expressions toutes faites dans le genre de « coucher par écrit » qui est pourtant ce que je voudrais faire de quelque chose que j'ai vu aujourd'hui bien que je ne sois qu'un amateur que gênent les règles de la tragédie, du sonnet ou de l'ode car je n'ai pas l'habitude d'écrire. Merde, je ne sais pas comment j'ai fait mais me voilà revenu tout au début. Je ne vais jamais en sortir. Tant pis. Prenons le taureau par les cornes. Encore une platitude. Et puis ce gars-là n'avait rien d'un taureau. Tiens, elle n'est pas mauvaise celle-là. Si j'écrivais : prenons le godelureau par la tresse de son chapeau de feutre mou emmanché d'un long cou [34], peut-être bien que ce serait original. Peut-être bien que ça me ferait connaître des messieurs de l'Académie française, du Flore et de la rue Sébastien-Bottin [35]. Pourquoi ne ferais-je pas de progrès après tout ? C'est en écrivant qu'on devient écriveron. Elle est forte celle-là. Tout de même faut de la mesure. Le type sur la plate-forme de l'autobus il en manquait quand il s'est mis à engueuler son voisin sous prétexte que ce dernier lui marchait sur les pieds chaque fois qu'il se tassait pour laisser monter ou descendre des voyageurs. D'autant plus qu'après avoir protesté comme cela, il est allé vite s'asseoir dès qu'il a vu une place libre à l'intérieur comme s'il craignait les coups. Tiens j'ai déjà raconté la moitié de mon histoire. Je me demande comment j'ai fait. C'est tout de même agréable d'écrire. Mais il reste le plus difficile. Le plus calé. La transition. D'autant plus qu'il n'y a pas de transition. Je préfère m'arrêter.

Désinvolte

I

Je monte dans le bus.
— C'est bien pour la porte Champerret ?
— Vous savez donc pas lire ?
— Excuses.
Il moud mes tickets sur son ventre.
— Voilà.
— Merci.
Je regarde autour de moi.
— Dites donc, vous.
Il a une sorte de galon autour de son chapeau.
— Vous pourriez pas faire attention ?
Il a un très long cou.
— Non mais dites donc.

Le voilà qui se précipite sur une place libre.
— Eh bien.
Je me dis ça.

II

Je monte dans le bus.
— C'est bien pour la place de la Contrescarpe ?
— Vous savez donc pas lire ?
— Excuses.
Son orgue de Barbarie[36] fonctionne et il me rend mes tickets avec un petit air dessus.
— Voilà.
— Merci.
On passe devant la gare Saint-Lazare.
— Tiens le type de tout à l'heure.
Je penche mon oreille.
— Tu devrais faire mettre un autre bouton à ton pardessus.
Il lui montre où.
— Il est trop échancré ton pardessus.
Ça c'est vrai.
— Eh bien.
Je me dis ça.

Partial

Après une attente démesurée l'autobus enfin
tourna le coin de la rue et vint freiner le long du
trottoir. Quelques personnes descendirent, quelques autres montèrent : j'étais de celles-ci. On se
tassa sur la plate-forme, le receveur tira véhémen-
tement sur une chasse de bruit et le véhicule
repartit. Tout en découpant dans un carnet le
nombre de tickets que l'homme à la petite boîte
allait oblitérer sur son ventre, je me mis à
inspecter mes voisins. Rien que des voisins. Pas
de femmes. Un regard désintéressé alors. Je
découvris bientôt la crème de cette boue circons-
crivante : un garçon d'une vingtaine d'années qui
portait une petite tête sur un long cou et un grand
chapeau sur sa petite tête et une petite tresse
coquine autour de son grand chapeau.

Quel pauvre type, me dis-je.

Ce n'était pas seulement un pauvre type, c'était un méchant. Il se poussa du côté de l'indignation en accusant un bourgeois quelconque de lui laminer les pieds à chaque passage de voyageurs, montants ou descendants. L'autre le regarda d'un œil sévère, cherchant une réplique farouche dans le répertoire tout préparé qu'il devait trimbaler à travers les diverses circonstances de la vie, mais ce jour-là il ne se retrouvait pas dans son classement. Quant au jeune homme, craignant une paire de gifles, il profita de la soudaine liberté d'une place assise pour se précipiter sur celle-ci et s'y asseoir.

Je descendis avant lui et ne pus continuer à observer son comportement. Je le destinais à l'oubli lorsque, deux heures plus tard, moi dans l'autobus, lui sur le trottoir, je le revis Cour de Rome, toujours aussi lamentable.

Il marchait de long en large en compagnie d'un camarade qui devait être son maître d'élégance et qui lui conseillait, avec une pédanterie dandyesque, de faire diminuer l'échancrure de son pardessus en y faisant adjoindre un bouton supplémentaire.

Quel pauvre type, me dis-je.

Puis nous deux mon autobus, nous continuâmes notre chemin.

Sonnet

Glabre de la vaisselle et tressé du bonnet,
Un paltoquet chétif au cou mélancolique
Et long se préparait, quotidienne colique,
A prendre un autobus le plus souvent complet.

L'un vint, c'était un dix ou bien peut-être un S.
La plate-forme, hochet adjoint au véhicule,
Trimbalait une foule en son sein minuscule
Où des richards pervers allumaient des londrès.

Le jeune girafeau, cité première strophe,
Grimpé sur cette planche entreprend un péquin
Lequel, proclame-t-il, voulait sa catastrophe,

Pour sortir du pétrin bigle une place assise
Et s'y met. Le temps passe. Au retour un faquin
A propos d'un bouton examinait sa mise.

Olfactif

Dans cet S méridien il y avait en dehors de l'odeur habituelle, odeur d'abbés, de décédés, d'œufs, de geais, de haches, de ci-gîts, de cas, d'ailes, d'aime haine au pet de culs, d'airs détestés, de nus vers, de doubles vés cés, de hies que scient aides grecs[37], il y avait une certaine senteur de long cou juvénile, une certaine perspiration de galon tressé, une certaine âcreté de rogne, une certaine puanteur lâche et constipée tellement marquées que lorsque deux heures plus tard je passai devant la gare Saint-Lazare je les reconnus et les identifiai dans le parfum cosmétique, fashionable[38] et tailoresque qui émanait d'un bouton mal placé.

Gustatif

Cet autobus avait un certain goût. Curieux mais incontestable. Tous les autobus n'ont pas le même goût. Ça se dit, mais c'est vrai. Suffit d'en faire l'expérience. Celui-là — un S — pour ne rien cacher — avait une petite saveur de cacahouète grillée je ne vous dis que ça. La plate-forme avait son fumet spécial, de la cacahouète non seulement grillée mais encore piétinée. A un mètre soixante au-dessus du tremplin, une gourmande, mais il ne s'en trouvait pas, aurait pu lécher quelque chose d'un peu suret qui était un cou d'homme dans sa trentaine. Et à vingt centimètres encore au-dessus, il se présentait au palais exercé la rare dégustation d'un galon tressé un peu cacaoté. Nous dégustâmes ensuite le chouigne-gueume[39] de la dispute, les châtaignes de l'irritation, les raisins de la colère et les grappes[40] de l'amertume.

Deux heures plus tard nous eûmes droit au dessert : un bouton de pardessus... une vraie noisette...

Tactile

Les autobus sont doux au toucher surtout si on les prend entre les cuisses et qu'on les caresse avec les deux mains, de la tête vers la queue, du moteur vers la plate-forme. Mais quand on se trouve sur cette plate-forme alors on perçoit quelque chose de plus âpre et de plus rêche qui est la tôle ou la barre d'appui, tantôt quelque chose de plus rebondi et de plus élastique qui est une fesse. Quelquefois il y en a deux, alors on met la phrase au pluriel. On peut aussi saisir un objet tubulaire et palpitant qui dégurgite des sons idiots, ou bien un ustensile aux spirales tressées plus douces qu'un chapelet, plus soyeuses qu'un fil de fer barbelé, plus veloutées qu'une corde et plus menues qu'un câble. Ou bien encore on peut toucher du doigt la connerie humaine, légèrement visqueuse et gluante, à cause de la chaleur.

Puis si l'on patiente une heure ou deux, alors devant une gare raboteuse, on peut tremper sa main tiède dans l'exquise fraîcheur d'un bouton de corozo qui n'est pas à sa place.

Visuel

Dans l'ensemble c'est vert avec un toit blanc, allongé, avec des vitres. C'est pas le premier venu qui pourrait faire ça, des vitres. La plate-forme c'est sans couleur, c'est moitié gris moitié marron si l'on veut. C'est surtout plein de courbes, des tas d'S pour ainsi dire. Mais à midi comme ça, heure d'affluence, c'est un drôle d'enchevêtrement. Pour bien faire faudrait étirer hors du magma un rectangle d'ocre pâle, y planter au bout un ovale pâle ocre et là-dessus coller dans les ocre foncé un galurin que cernerait une tresse de terre de Sienne brûlée et entremêlée par-dessus le marché. Puis on t'y foutrait une tache caca d'oie pour représenter la rage, un triangle rouge pour exprimer la colère et une pissée de vert pour rendre la bile rentrée et la trouille foireuse.

Après ça on te dessinerait un de ces jolis petits mignons de pardingues[41] bleu marine avec, en haut, juste en dessous de l'échancrure, un joli petit mignon de bouton dessiné au quart de poil.

Auditif

Coinquant[42] et pétaradant, l'S vint crisser le long du trottoir silencieux. Le trombone du soleil bémolisait midi. Les piétons, braillantes cornemuses, clamaient leurs numéros. Quelques-uns montèrent d'un demi-ton, ce qui suffit pour les emporter vers la porte Champerret aux chantantes arcades. Parmi les élus haletants, figurait un tuyau de clarinette à qui les malheurs des temps avaient donné forme humaine et la perversité d'un chapelier pour porter sur la timbale un instrument qui ressemblait à une guitare qui aurait tressé ses cordes pour s'en faire une ceinture. Soudain au milieu d'accords en mineur de voyageurs entreprenants et de voyajrices[43] consentantes et des trémolos bêlants du receveur rapace éclate une cacophonie burlesque où la rage de la contrebasse se mêle à l'irritation de la trompette et à la frousse du basson.

Puis, après soupir, silence, pause et double pause, éclate la mélodie triomphante d'un bouton en train de passer à l'octave supérieure.

Télégraphique

BUS BONDÉ STOP JNHOMME LONG COU CHAPEAU
CERCLE TRESSÉ APOSTROPHE VOYAGEUR INCONNU
SANS PRÉTEXTE VALABLE STOP QUESTION DOIGTS
PIEDS FROISSÉS CONTACT TALON PRÉTENDU VOLON-
TAIRE STOP JNHOMME ABANDONNE DISCUSSION POUR
PLACE LIBRE STOP QUATORZE HEURES PLACE ROME
JNHOMME ÉCOUTE CONSEILS VESTIMENTAIRES CAMA-
RADE STOP DÉPLACER BOUTON STOP SIGNÉ ARC-
TURUS [44].

Ode

Dans l'autobus
dans l'autobon
l'autobus S
l'autobusson
qui dans les rues
qui dans les ronds
va son chemin
à petits bonds
près de Monceau
près de Monçon
par un jour chaud
par un jour chon
un grand gamin
au cou trop long
porte un chapus
porte un chapon

dans l'autobus
dans l'autobon

Sur le chapus
sur le chapon
y a une tresse
y a une tron
dans l'autobus
dans l'autobon
et par dlassusse
et par dlasson
y a de la presse
et y a du pron
et lgrand gamin
au cou trop long
i râle un brin
i râle un bron
contre un lapsus
contre un lapon
dans l'autobus
dans l'autobon
mais le lapsus
mais le lapon
pas commodus
pas commodon
montre ses dents
montre ses dons
sur l'autobus
sur l'autobon

et lgrand gamin
au cou trop long
va mett ses fesses
va mett son fond
dans le bus S
dans le busson
sur la banquette
pour les bons cons

Sur la banquette
pour les bons cons
moi le poète
au gai pompon
un peu plus tard
un peu plus thon
à Saint-Lazare
à Saint-Lazon
qu'est une gare
pour les bons gons
je rvis lgamin
au cou trop long
et son pardingue
dmandait pardong
à un copain
à un copon
pour un boutus
pour un bouton
près dl'autobus
près dl'autobon

Si cette histoire
si cette histon
vous intéresse
vous interon
n'ayez de cesse
n'ayez de son
avant qu'un jour
avant qu'un jon
sur un bus S
sur un busson
vous ne voyiez
les yeux tout ronds
le grand gamin
au cou trop long
et son chapus
et son chapon
et son boutus
et son bouton
dans l'autobus
dans l'autobon
l'autobus S
l'autobusson

Permutations
par groupes croissants de lettres

Rvers unjou urlap midis ormea latef eduna rrièr sdela utobu sjape ligne njeun rçusu eauco ehomm longq utrop taitu uipor eauen nchap dunga touré essé lontr. Nilint soudai asonvo erpell préten isinen ecelui dantqu aitexp cifais uimarc résdel lespie hersur uefois dschaq ntaito quilmo ndaitd udesce geurs esvoya. Onnadai ilaband apideme lleursr cussion ntladis etersur poursej elibre uneplac.

Heures pl quelques le revisd us tard je are saint evant lag grande co lazare en on avec un nversati qui lui di camarade ireremon sait de fa ton supér ter le bou npardess ieur de so us.

Permutations
par groupes croissants de mots

Jour un midi vers, la sur arrière plate-forme un d'de autobus ligne la j'S un aperçus jeune au homme trop cou qui long un portait entouré chapeau un d'tressé galon. Interpella son soudain il prétendant que voisin en exprès de celui-ci faisait sur les lui marcher fois qu'pieds chaque ou descendait il montait des voyageurs. Ailleurs rapidement la il abandonna d'jter sur une discussion pour se place libre.

Je le revis devant quelques heures plus tard en grande conversation avec la gare Saint-Lazare disait de faire remonter un camarade qui lui supérieur de son pardessus un peu le bouton.

Hellénismes

Dans un hyperautobus plein de pétrolonautes, je fus martyr de ce microrama en une chronie de métaffluence : un hypotype plus qu'icosapige avec un pétase péricyclé par caloplegme et un macrotrachèle eucylindrique anathématise emphatiquement un éphémère et anonyme outisse, lequel, à ce qu'il pseudolégeait, lui épivédait sur les bipodes mais, dès qu'il euryscopa une cœnotopie, il se péristropha pour s'y catapelter.

En une chronie hystère, je l'esthèsis devant le sidérodromeux stathme hagiolazarique, péripatant avec un compsanthrope qui lui symboulait la métacinèse d'un omphale sphincter.

Ensembliste

Dans l'autobus S considérons l'ensemble A des voyageurs assis et l'ensemble D des voyageurs debout. A un certain arrêt, se trouve l'ensemble P des personnes qui attendent. Soit C l'ensemble des voyageurs qui montent; c'est un sous-ensemble de P et il est lui-même l'union de C' l'ensemble des voyageurs qui restent sur la plate-forme et de C" l'ensemble de ceux qui vont s'asseoir. Démontrer que l'ensemble C" est vide.

Z étant l'ensemble des zazous et $\{z\}$ l'intersection de Z et de C', réduite à un seul élément. A la suite de la surjection des pieds de z sur ceux de y (élément quelconque de C' différent de z), il se produit un ensemble M de mots prononcés par l'élément z. L'ensemble C" étant devenu non vide, démontrer qu'il se compose de l'unique élément z.

Soit maintenant P l'ensemble des piétons se trouvant devant la gare Saint-Lazare, $\{z\}$, $\{z'\}$ l'intersection de Z et de P, B l'ensemble des boutons du pardessus de z, B' l'ensemble des emplacements possibles desdits boutons selon z', démontrer que l'injection de B dans B' n'est pas une bijection.

Définitionnel

Dans un grand véhicule automobile public de transport urbain désigné par la dix-neuvième lettre de l'alphabet, un jeune excentrique portant un surnom donné à Paris en 1942, ayant la partie du corps qui joint la tête aux épaules s'étendant sur une certaine distance et portant sur l'extrémité supérieure du corps une coiffure de forme variable entourée d'un ruban épais entrelacé en forme de natte — ce jeune excentrique donc imputant à un individu allant d'un lieu à un autre la faute consistant à déplacer ses pieds l'un après l'autre sur les siens se mit en route pour se mettre sur un meuble disposé pour qu'on puisse s'y asseoir, meuble devenu non occupé.

Cent vingt secondes plus tard, je le vis de nouveau devant l'ensemble des bâtiments et des voies d'un chemin de fer où se font le dépôt des marchandises et l'embarquement ou le débarquement des voyageurs. Un autre jeune excentrique portant un surnom donné à Paris en 1942 lui procurait des avis sur ce qu'il convient de faire à propos d'un cercle de métal, de corne, de bois, etc., couvert ou non d'étoffe, servant à attacher les vêtements, en l'occurrence un vêtement masculin qu'on porte par-dessus les autres.

Tanka [45]

L'autobus arrive
Un zazou à chapeau monte
Un heurt il y a
Plus tard devant Saint-Lazare
Il est question d'un bouton

Vers libres

L'autobus
plein
le cœur
vide
le cou
long
le ruban
tressé
les pieds
plats
plats et aplatis
la place
vide

et l'inattendue rencontre près de la gare aux mille
    feux éteints

de ce cœur, de ce cou, de ce ruban, de ces pieds,
de cette place vide,
et de ce bouton.

Translation [46]

Dans l'Y, en un hexagone d'affouragement. Un typhon dans les trente-deux anacardiers, chapellerie modeste avec coréopsis remplaçant la rubellite, couchette trop longue comme si on lui avait tiré dessus. Les gentillesses descendent. Le typhon en quêteur s'irrite contre un voiturier. Il lui reproche de le bousculer chaque fois qu'il passe quelqu'un, tondeur pleurnichard qui se veut méchant. Comme il voit une placette libre, se précipite dessus.

Huit hexagones plus loin, je le rencontre dans la courbe de Roncq, devant la gargouille de Saint-Dizier. Il est avec un cambreur qui lui dit : « Tu devrais faire mettre un bouton-pression supplémentaire à ton pare-chocs. » Il lui montre où (à l'échantillon) et pourquoi.

Lipogramme

Voici.

Au stop, l'autobus stoppa. Y monta un zazou au cou trop long, qui avait sur son caillou un galurin au ruban mou. Il s'attaqua aux panards d'un quidam dont arpions, cors, durillons sont avachis du coup ; puis il bondit sur un banc et s'assoit sur un strapontin où nul n'y figurait.

Plus tard, vis-à-vis la station Saint-Machin ou Saint-Truc, un copain lui disait : « Tu as à ton raglan un bouton qu'on a mis trop haut. »

Voilà.

Anglicismes

Un dai vers middai, je tèque le beusse et je sie un jeugne manne avec une grète nèque et un hatte avec une quainnde de lèsse tressés. Soudainement ce jeugne manne bi-queumze crézé et acquiouse un respectable seur de lui trider sur les toses. Puis il reunna vers un site eunoccupé.

A une lète aoure je le sie égaine ; il vouoquait eupe et daoune devant la Ceinte Lazare sté-cheunne. Un beau [47] lui guivait un advice à propos de beutone.

Prosthèses

Zun bjour hvers dmidi, dsur lla aplateforme
zarrière zd'hun tautobus, gnon ploin ddu éparc
Omonceaux, èje fremarquai hun éjeune phomme
zau pcou strop mlong, cqui sexhibait hun tcha-
peau centouré d'zun agalon stressé zau mlieu ede
truban. Bsoudain, zil tinterpella sson svoisin zen
aprétendant cque tcelui-tci rfaisait texprès ède
zlui nmarcher ssur tles rpieds tchaque gfois
cqu'uil zmontait zou rdescendait édes jvoyageurs.
Hil babandonna trapidement lla xdiscussion
épour sse ajeter ssur hune tplace uvide.

Gquelques cheures aplus atard, èje lle rrevis
ddevant lla agare Esaint-Blazare zen rgrande
xconversation zavec hun gcamarade cqui élui
rdonnait édes fconseils zau tsujet dd'hun mbou-
ton éde tson pppppppppppppppppppardesssssus.

Épenthèses

Uon jouir vears mirdi, suir lea plateforome arrièare d'uin autoibus S, joe vois uin homime aiu conu troup loung quai poritait uin chaipeau enotouré d'uin galion tresasé avu lievu die ruaban. Tovut à covup iel interapella soin voiisin ein préteindant quie cealui-coi faissait exaprès die luvi marocher suar leis piedos chaique fouis qvu'ill monatait ovu desicendait deus voyagreurs. Iol abanodonna d'ailoleurs rapideument lia discusision povur sie jeiter suir uane plabce livbre.

Quelaques heubres pluis taird, jie lie rievis debvant lia gaire Savint-Lazxare ein grainde conoversation abvec uon camacrade quzi luzi dibsait die fagire relmonter uon pelu lie bobuton surpérieur die soin pardesssssssssssssssssssssus.

Paragoges[48]

Ung jourz verse midir, surl laa plateformet arrièreu d'uno autobusi, j'aperçuss uno jeuneu hommeu aux coux tropr longg ett quie portaito ung chapeaux entourée d'ung galong tressés aux lieux deu rubann. Soudainj, ile interpellat sono voisino eno prétendanti queue celuio-cix faisaito exprèso deu luiv marcheri surb lesq piedsa chaquex foisa quh'ile montaiti oui descendaiti desd voyageursi. Ilo abandonnat d'ailleurst rapidemento lab discussiong pourv sei jeteri sura uneu placeu librex.

Quelquesu heuresu plusu tardu, jeu leu revisu devantu lau gareu Sainteu-Lazareu enu grandex conversationg aveco uno camaradeb quib luib disaitr dew fairex remontert leq boutonq supérieurm dek sonj pardessussssssssssssssssssssssssss.

Parties du discours

ARTICLES : le, la, les, une, des, du, au.

SUBSTANTIFS : jour, midi, plate-forme, autobus, ligne S, côté, parc, Monceau, homme, cou, chapeau, galon, lieu, ruban, voisin, pied, fois, voyageur, discussion, place, heure, gare, saint, Lazare, conversation, camarade, échancrure, pardessus, tailleur, bouton.

ADJECTIFS : arrière, complet, entouré, grand, libre, long, tressé.

VERBES : apercevoir, porter, interpeller, prétendre, faire, marcher, monter, descendre, abandonner, jeter, revoir, dire, diminuer, faire, remonter.

PRONOMS : je, il, se, le, lui, son, qui, celui-ci, que, chaque, tout, quelque.

ADVERBES : peu, près, fort, exprès, ailleurs, rapidement, plus, tard.

PRÉPOSITIONS : vers, sur, de, en, devant, avec, par, à, avec, par, à.

CONJONCTIONS : que, ou.

Métathèses

Un juor vres miid, sru la palte-frome aièrrre
d'un aubutos, je requarmai un hmome au cuo prot
logn et au pacheau enrouté d'une srote de filecle.
Soudian il prédentit qeu sno viosin liu machrait
votonlairement sru lse pides. Mias étivant la
quelerle il se prépicita sru enu pacle lirbe.

Duex heuser psul trad je le rvise denavt la grae
Siant-Laraze en comgnapie d'un pernosnage qiu
liu dannoit dse consiels au suejt d'un botuon.

Par devant par derrière

Un jour par devant vers midi par derrière sur la plate-forme par devant arrière par derrière d'un autobus par devant à peu près complet par derrière, j'aperçus par devant un homme par derrière qui avait par devant un long cou par derrière et un chapeau par devant entouré d'un galon tressé par derrière au lieu de ruban par devant. Tout à coup il se mit par derrière à engueuler par devant un voisin par derrière qui, disait-il par devant, lui marchait par derrière sur les pieds par devant, chaque fois qu'il montait par derrière des voyageurs par devant. Puis il alla par derrière s'asseoir par devant, car une place par derrière était devenue libre par devant.

Un peu plus tard par derrière je le revis par

devant la gare Saint-Lazare par derrière avec un ami par devant qui lui donnait par derrière des conseils d'élégance.

Noms propres

Sur la Joséphine[49] arrière d'un Léon complet, j'aperçus un jour Théodule avec Charles le trop long[50] et Gibus[51] entouré par Trissotin[52] et pas par Rubens[53]. Tout à coup Théodule interpella Théodose qui piétinait Laurel et Hardy chaque fois que montaient ou descendaient des Poldèves[54]. Théodule abandonna d'ailleurs rapidement Eris[55] pour Laplace[56].

Deux Huyghens[57] plus tard, je revis Théodule devant Saint-Lazare en grand Cicéron[58] avec Brummell[59] qui lui disait de retourner chez O'Rossen pour faire remonter Jules de trois centimètres.

Loucherbem [60]

Un lourjingue vers lidimège sur la lateformeplic
arrière d'un lobustotem, je gaffe un lypétinge avec
un long loukem et un lapeauchard entouré d'un
lalongif au lieu de lubanrogue. Soudain il se met à
lenlèguer son loisinvé parce qu'il lui larchemait
sur les miépouilles. Mais pas lavèbre il se trissa
vers une lacepème lidévée.

Plus tard je le gaffe devant la laregame Laint-
soin Lazarelouille avec un lypetogue dans son
lenregome qui lui donnait des lonseilcons à propos
d'un loutonbé.

Javanais[61]

Unvin jovur vevers mividin suvur unvin vauto-
bobuvus deveu lava livigneve esseve, jeveu vape-
verçuvus unvin jeveunovomme vavec unvin lon-
vong couvou evet unvin chavapoveau envantou-
vourévé pavar uvune fivicevelle ovau lieuveu
deveu ruvubanvan. Toutvoutavoucou ivil invin-
terverpevellava sonvon voisouasinvin envan pre-
vetenvandenvant quivil luivui macharvaichait
suvur léves piévieds. Ivil avabanvandovonnava
ravapivideveumenvant lava diviscuvussivion
povur seveu jevetéver suvur uvune plavaceveu
livibreveu.

Deveux heuveureuves pluvus tavard jeveu
leveu reveuvivis deveuvanvant lava gavare Sai-
vingt-Lavazavareveu envant granvandeveu
convorseversavativion avvévec uvin cavamavara-

vadeveu quivi luivui divisaitvait deveu divimivini-
vinuvuer l'évéchanvancruvure deveu sonvon
pavardeveusseuvus envan faivaisavant revemon-
vontéver pavar quévelquinvun deveu comvonpé-
vétenvant leveu bouvoutonvon suvupévérivieur
duvu pavardeveussuvus evan quiévestivion.

Antonymique

Minuit. Il pleut. Les autobus passent presque vides. Sur le capot d'un AI du côté de la Bastille, un vieillard qui a la tête rentrée dans les épaules et ne porte pas de chapeau remercie une dame placée très loin de lui parce qu'elle lui caresse les mains. Puis il va se mettre debout sur les genoux d'un monsieur qui occupe toujours sa place.

Deux heures plus tôt, derrière la gare de Lyon, ce vieillard se bouchait les oreilles pour ne pas entendre un clochard qui se refusait à dire qu'il lui fallait descendre d'un cran le bouton inférieur de son caleçon.

Macaronique

Sol erat in regionem zenithi et calor atmospheri magnissima. Senatus populusque[62] parisiensis sudebant. Autobi passebant completi. In uno ex supradictis autobibus qui S denominationem portebat, hominem quasi junum, cum collo multi elongato et cum chapito a galono tressato cerclato vidi. Iste junior insultavit alterum hominem qui proximus erat pietinat, inquit, pedes meos post deliberationem animæ tuæ. Tunc sedem libram vidente, cucurrit là.

Sol duas horas in oelo habebat descendues. Sancti Lazari stationem rerrocaminorum passente devant, junum supradictum cum altero ejusdem farinae[63] qui arbiter elegantiarum erat et qui apropo uno ex boutonis capae junioris consilium donebat vidi.

Homophonique

Ange ouvert m'y dit sur la pelle à deux formes d'un haut obus (est-ce ?), j'à peine sus un je nomme (ô Coulomb !) avec de l'adresse autour du chat beau. Sous daim, il entrepella son veau à zinc qui (dix hait-il ?) lui maraîcher sur l'évier ex-pré. Mais en veau (hi ! han !) une pelle à ce vide ici près six bêtas à bandeau non l'a dit ce cul : Sion.

Un peuple hue tard jeune viking par relais de vents la garce (un l'a tzar) ! Un nain dit « vi eus lu », idoine haie dès qu'on scelle à peu rot pot debout. Hon !

Italianismes

Oune giorne en pleiné merigge, ié saille sulla plataforme d'oune otobousse et là quel ouome ié vidis ? ié vidis oune djiovanouome au longué col avé de la treccie otour dou cappel. Et lé ditto djiovanouome oltragge ouno pouovre ouome à qui il rimproveravait de lui pester les pieds et il ne lui pestarait noullément les pieds, mais quand il vidit oune sédie vouote, il corrit por sedersilà.

A oune ouore dè là, ié lé révidis qui ascoltait les consigles d'oune bellimbouste et zerbinotte a proposto d'oune bouttoné dé pardéssousse.

Poor lay Zanglay

Ung joor vare meedee ger preelotobüs poor la port Changparay. Eel aytay congplay, praysk. Jer mongtay kang maym ay lar jer vee ung ohm ahvayk ung long coo ay ung chahrpo hangtooray dünn saughrt der feessel trayssay. Sir mirssyer sir mee ang caughlayr contrer ung ingdeeveedüh kee lühee marshay sühr lay peehay, pühee eel arlah sarsswar.

Ung per plüh tarh jer ler rervee dervang lahr Garsinglahzahr ang congparhrgnee d'ung dangdee kee lühee congsayhiay der fare rermongtay d'ung crang ler bootong der song pahrdessüh.

Contre-petteries

Un mour vers jidi, sur la fate-plorme autière d'un arrobus, je his un vomme au fou lort cong et à l'entapeau chouré d'une tricelle fessée. Toudain, ce sype verpelle un intoisin qui lui parchait sur les mieds. Cuis il pourut vers une vlace pibre.

Heux pleures tus dard, je le devis revant la sare Laint-Gazare en crain d'étouter les donseils d'un candy.

Botanique

Après avoir fait le poireau sous un tournesol merveilleusement épanoui, je me greffai sur une citrouille en route vers le champ Perret. Là, je déterre une courge dont la tige était montée en graine et le citron surmonté d'une capsule entourée d'une liane. Ce cornichon se met à enguirlander un navet qui piétinait ses plates-bandes et lui écrasait les oignons. Mais, des dattes ! fuyant une récolte de châtaignes et de marrons, il alla se planter en terrain vierge.

Plus tard je le revis devant la Serre des Banlieusards. Il envisageait une bouture de pois chiche en haut de sa corolle.

Médical

Après une petite séance d'héliothérapie, je craignis d'être mis en quarantaine, mais montai finalement dans une ambulance pleine de grabataires. Là, je diagnostique un gastralgique atteint de gigantisme opiniâtre avec élongation trachéale et rhumatisme déformant du ruban de son chapeau. Ce crétin pique soudain une crise hystérique parce qu'un cacochyme lui pilonne son tylosis gompheux[64], puis, ayant déchargé sa bile, il s'isole pour soigner ses convulsions.

Plus tard, je le revois, hagard devant un Lazaret, en train de consulter un charlatan au sujet d'un furoncle qui déparait ses pectoraux.

Injurieux

Après une attente infecte sous un soleil ignoble, je finis par monter dans un autobus immonde où se serrait une bande de cons. Le plus con d'entre ces cons était un boutonneux au sifflet démesuré qui exhibait un galurin grotesque avec un cordonnet au lieu de ruban. Ce prétentiard se mit à râler parce qu'un vieux con lui piétinait les panards avec une fureur sénile ; mais il ne tarda pas à se dégonfler et se débina dans la direction d'une place vide encore humide de la sueur des fesses du précédent occupant.

Deux heures plus tard, pas de chance, je retombe sur le même con en train de pérorer avec un autre con devant ce monument dégueulasse qu'on appelle la gare Saint-Lazare. Ils bavardochaient à propos d'un bouton. Je me dis : qu'il le fasse monter ou descendre son furoncle, il sera toujours aussi moche, ce sale con.

Gastronomique

Après une attente gratinée sous un soleil au beurre noir, je finis par monter dans un autobus pistache où grouillaient les clients comme asticots dans un fromage trop fait. Parmi ce tas de nouilles, je remarquai une grande allumette avec un cou long comme un jour sans pain et une galette sur la tête qu'entourait une sorte de fil à couper le beurre. Ce veau se mit à bouillir parce qu'une sorte de croquant (qui en fut baba) lui assaisonnait les pieds poulette. Mais il cessa rapidement de discuter le bout de gras pour se couler dans un moule devenu libre.

J'étais en train de digérer dans l'autobus de retour lorsque, devant le buffet de la gare Saint-Lazare, je revis mon type tarte avec un croûton qui lui donnait des conseils à la flan, à propos de la façon dont il était dressé. L'autre en était chocolat.

Zoologique

Dans la volière qui, à l'heure où les lions vont boire[65], nous emmenait vers la place Champerret, j'aperçus un zèbre au cou d'autruche qui portait un castor entouré d'un mille-pattes. Soudain, le girafeau se mit à enrager sous prétexte qu'une bestiole voisine lui écrasait les sabots. Mais, pour éviter de se faire secouer les puces, il cavala vers un terrier abandonné.

Plus tard, devant le Jardin d'Acclimatation, je revis le poulet en train de pépier avec un zoziau[66] à propos de son plumage.

Impuissant

Comment dire l'impression que produit le contact de dix corps pressés sur la plate-forme arrière d'un autobus S un jour vers midi du côté de la rue de Lisbonne ? Comment exprimer l'impression que vous fait la vue d'un personnage au cou difformément long et au chapeau dont le ruban est remplacé, on ne sait pourquoi, par un bout de ficelle ? Comment rendre l'impression que donne une querelle entre un voyageur placide injustement accusé de marcher volontairement sur les pieds de quelqu'un et ce grotesque quelqu'un en l'occurrence le personnage ci-dessus décrit ? Comment traduire l'impression que provoque la fuite de ce dernier, déguisant sa lâcheté du veule prétexte de profiter d'une place assise ?

Enfin comment formuler l'impression que

cause la réapparition de ce sire devant la gare
Saint-Lazare deux heures plus tard en compagnie
d'un ami élégant qui lui suggérait des améliora-
tions vestimentaires ?

Modern style

Dans un omnibus, un jour, vers midi, il m'arriva d'assister à la petite tragi-comédie suivante. Un godelureau, affligé d'un long cou et, chose étrange, d'un petit cordage autour du melon (mode qui fait florès[67] mais que je réprouve), prétextant soudain de la presse qui était grande, interpella son voisin avec une arrogance qui dissimulait mal un caractère probablement veule et l'accusa de piétiner avec une méthode systématique ses escarpins vernis chaque fois qu'il montait ou descendait des dames ou des messieurs se rendant à la porte de Champerret. Mais le gommeux n'attendit point une réponse qui l'eût sans doute amené sur le terrain[68] et grimpa vivement sur l'impériale où l'attendait une place libre, car un des occupants de notre véhicule venait de poser son pied sur le mol asphalte du trottoir de la place Pereire.

Deux heures plus tard, comme je me trouvais alors moi-même sur cette impériale, j'aperçus le blanc-bec dont je viens de vous entretenir qui semblait goûter fort la conversation d'un jeune gandin qui lui donnait des conseils copurchic[69] sur la façon de porter le pet-en-l'air[70] dans la haute[71].

Probabiliste [72]

Les contacts entre habitants d'une grande ville sont tellement nombreux qu'on ne saurait s'étonner s'il se produit quelquefois entre eux des frictions d'un caractère en général sans gravité. Il m'est arrivé récemment d'assister à l'une de ces rencontres dépourvues d'aménité qui ont lieu en général dans les véhicules destinés aux transports en commun de la région parisienne aux heures d'affluence. Il n'y a d'ailleurs rien d'étonnant à ce que j'en aie été le spectateur, car je me déplace fréquemment de la sorte. Ce jour-là, l'incident fut d'ordre infime, mais mon attention fut surtout attirée par l'aspect physique et la coiffure de l'un des protagonistes de ce drame minuscule. C'était un homme encore jeune, mais dont le cou était d'une longueur probablement supérieure à la moyenne et dont le ruban du chapeau était remplacé par du galon tressé. Chose curieuse, je le revis deux heures plus tard en train d'écouter les conseils d'ordre vestimentaire que lui donnait un camarade en compagnie duquel il se promenait de long en large, avec négligence dirai-je.

Il n'y avait que peu de chances cette fois-ci pour qu'une troisième rencontre se produisît, et le fait est que depuis ce jour jamais je ne revis ce jeune homme, conformément aux raisonnables lois de la vraisemblance.

Portrait

Le stil est un bipède au cou très long qui hante les autobus de la ligne S vers midi. Il affectionne particulièrement la plate-forme arrière où il se tient, morveux, le chef couvert d'une crête entourée d'une excroissance de l'épaisseur d'un doigt, assez semblable à de la corde. D'humeur chagrine, il s'attaque volontiers à plus faible que lui, mais, s'il se heurte à une riposte un peu vive, il s'enfuit à l'intérieur du véhicule où il essaie de se faire oublier.

On le voit aussi, mais beaucoup plus rarement, aux alentours de la gare Saint-Lazare au moment de la mue. Il garde sa peau ancienne pour se protéger contre le froid de l'hiver, mais souvent déchirée pour permettre le passage du corps; cette sorte de pardessus doit se fermer assez haut grâce à des moyens artificiels. Le stil, incapable de les découvrir lui-même, va chercher alors l'aide d'un autre bipède d'une espèce voisine, qui lui fait faire des exercices.

La stilographie est un chapitre de la zoologie théorique et déductive que l'on peut cultiver en toute saison.

Géométrique

Dans un parallélépipède rectangle se déplaçant le long d'une ligne droite d'équation $84\,x + S = y$, un homoïde A présentant une calotte sphérique entourée de deux sinusoïdes, au-dessus d'une partie cylindrique de longueur $l > n$, présente un point de contact avec un homoïde trivial B. Démontrer que ce point de contact est un point de rebroussement.

Si l'homoïde A rencontre un homoïde homologue C, alors le point de contact est un disque de rayon $r < l$. Déterminer la hauteur h de ce point de contact par rapport à l'axe vertical de l'homoïde A.

Paysan

J'avions pas de ptits bouts de papiers avec un numéro dssus, mais jsommes tout dmême monté dans steu carriole. Une fois que j'm'y trouvons sus steu plattforme de steu carriole qui z'appellent comm' ça eux zautres un autobus, jeum'sentons tout serré, tout gueurdi et tout racornissou[73]. Enfin après qu'j'euyons paillé, je j'tons un coup d'œil tout alentour de nott peursonne et qu'est-ceu queu jeu voyons-ti pas ? un grand flandrin avec un d'ces cous et un d'ces couv-la-tête pas ordinaires. Le cou, l'était trop long. L'chapiau, l'avait dla tresse autour, dame oui. Et pis, tout à coup, le voilà-ti pas qui s'met en colère ? Il a dit des paroles de la plus grande méchanceté à un pauv' meussieu qu'en pouvait mais et pis après ça l'est allé s'asseoir, le grand flandrin.

147

Bin, c'est des choses qu'arrivent comme ça que dans une grande ville. Vous vous figurerez-vous-ti pas qu' l'avons dnouveau rvu, ce grand flandrin. Pas plus tard que deux heures après, dvant une grande bâtisse qui pouvait ben être queuqu'chose comme le palais dl'évêque de Pantruche [74], comme i disent eux zautres pour appeler leur ville par son petit nom. L'était là lgrand flandrin, qu'i sbaladait dlong en large avec un autt feignant dson espèce et qu'est-ce qu'i lui disait l'autt feignant dson espèce ? Li disait, l'autt feignant dson espèce, l'i disait : « Tu dvrais tfaire mett sbouton-là un ti peu plus haut, ça srait ben pluss chouette. » Voilà cqu'i lui disait au grand flandrin, l'autt feignant dson espèce.

Interjections

Psst ! heu ! ah ! oh ! hum ! ah ! ouf ! eh ! tiens !
oh ! peuh ! pouah ! ouïe ! hou ! aïe ! eh ! hein ! heu !
pfuitt !
Tiens ! eh ! peuh ! oh ! heu ! bon !

Précieux

C'était aux alentours d'un juillet de midi. Le soleil dans toute sa fleur régnait sur l'horizon aux multiples tétines. L'asphalte palpitait doucement, exhalant cette tendre odeur goudronneuse qui donne aux cancéreux des idées à la fois puériles et corrosives sur l'origine de leur mal. Un autobus à la livrée verte et blanche, blasonné d'un énigmatique S, vint recueillir du côté du parc Monceau un petit lot favorisé de candidats voyageurs aux moites confins de la dissolution sudoripare. Sur la plate-forme arrière de ce chef-d'œuvre de l'industrie automobile française contemporaine, où se serraient les transbordés comme harengs en caque, un garnement, approchant à petits pas de la trentaine et portant, entre un cou d'une longueur quasi serpentine et un chapeau cerné d'un cordaginet, une tête aussi fade que plombagineuse[75], éleva la voix pour se plaindre avec une amertume non feinte et qui semblait émaner d'un verre de gentiane[76], ou de tout autre liquide aux propriétés voisines, d'un phénomène de heurt répété qui selon lui avait pour origine un co-usager présent *hic et nunc*[77] de la STCRP. Il prit pour lever sa plainte le ton aigre d'un vieux vidame qui se fait pincer l'arrière-train dans une vespasienne et qui, par extraordinaire, n'approuve point cette politesse et ne mange pas de ce pain-là. Mais, découvrant une place vide, il s'y jeta.

Plus tard, comme le soleil avait déjà descendu de plusieurs degrés l'escalier monumental de sa parade céleste et comme de nouveau je me faisais véhiculer par un autre autobus de la même ligne, j'aperçus le personnage plus haut décrit qui se mouvait dans la Cour de Rome de façon péripatétique en compagnie d'un individu *ejusdem farinæ* qui lui donnait, sur cette place vouée à la circulation automobile, des conseils d'une élégance qui n'allait pas plus loin que le bouton.

Inattendu

Les copains étaient assis autour d'une table de café lorsque Albert les rejoignit. Il y avait là René, Robert, Adolphe, Georges, Théodore.

— Alors ça va ? demanda cordialement Robert.

— Ça va, dit Albert.

Il appela le garçon.

— Pour moi, ce sera un picon, dit-il.

Adolphe se tourna vers lui :

— Alors, Albert, quoi de neuf ?

— Pas grand-chose.

— Il fait beau, dit Robert.

— Un peu froid, dit Adolphe.

— Tiens, j'ai vu quelque chose de drôle aujourd'hui, dit Albert.

— Il fait chaud tout de même, dit Robert.

— Quoi ? demanda René.

— Dans l'autobus, en allant déjeuner, répondit Albert.

— Quel autobus ?

— L'S.

— Qu'est-ce que tu as vu ? demanda Robert.

— J'en ai attendu trois au moins avant de pouvoir monter.

— A cette heure-là ça n'a rien d'étonnant, dit Adolphe.

— Alors qu'est-ce que tu as vu ? demanda René.

— On était serrés, dit Albert.

— Belle occasion pour le pince-fesse.

— Peuh ! dit Albert. Il ne s'agit pas de ça.

— Raconte alors.

— A côté de moi il y avait un drôle de type.

— Comment ? demanda René.

— Grand, maigre, avec un drôle de cou.

— Comment ? demanda René.

— Comme si on lui avait tiré dessus.

— Une élongation, dit Georges.

— Et son chapeau, j'y pense : un drôle de chapeau.

— Comment ? demanda René.

— Pas de ruban, mais un galon tressé autour.

— Curieux, dit Robert.

— D'autre part, continua Albert, c'était un râleur ce type.

— Pourquoi ça ? demanda René.

— Il s'est mis à engueuler son voisin.

— Pourquoi ça ? demanda René.

— Il prétendait qu'il lui marchait sur les pieds.

— Exprès ? demanda Robert.

— Exprès, dit Albert.

— Et après ?

— Après ? Il est allé s'asseoir, tout simplement.

— C'est tout ? demanda René.

— Non. Le plus curieux c'est que je l'ai revu deux heures plus tard.

— Où ça ? demanda René.

— Devant la gare Saint-Lazare.

— Qu'est-ce qu'il fichait là ?

— Je ne sais pas, dit Albert. Il se promenait de long en large avec un copain qui lui faisait remarquer que le bouton de son pardessus était placé un peu trop bas.

— C'est en effet le conseil que je lui donnais, dit Théodore.

NOTES

Les notes suivantes éclairent les difficultés qu'un bon dictionnaire usuel ne résout pas toujours.

1 *(p. 7)*. *L'S* : La lettre désigne la ligne d'autobus (cf. p. 182) et par métonymie le véhicule lui-même.

2 *(p. 8)*. *Contrescarpe, Champerret* : Les terminus de la ligne, dans le Quartier latin et au nord-ouest de la capitale.

3 *(p. 12)*. *Rétrograde* : Titre initial, dans la revue *Messages* (décembre 1943) : « L'écrevisse ».

4 *(p. 16)*. *Synchyses* : Terme de grammaire ; défaut de construction : l'ordre normal des mots est bouleversé.

5 *(p. 18)*. *Logo-rallye* : Ce jeu consiste à introduire dans un texte, dans un ordre déterminé, tous les mots d'une liste établie à l'avance.

6 *(p. 18)*. *La TCRP* : La société des transports en commun de la Région parisienne a disparu en 1942 (cf. aussi p. 151).

7 *(p. 24)*. *Autobi* : Pluriel fantaisiste d'*autobus*, sur le modèle de la deuxième déclinaison latine.

8 *(p. 27)*. *(Aujourd'hui 84)* : Parenthèse postérieure au 26 novembre 1945 : l'exploitation de la ligne S est reprise ce jour-là sous le numéro 84.

9 *(p. 28)* *Co-foultitudinairement* : Adverbe formé sur *foultitude* (terme familier et vieilli).

10 *(p. 28)*. *Lutécio-* : De *Lutèce*, ancien nom de Paris.

11 *(p. 28)*. *Longicol* : Au long cou ; néologisme, sur le modèle de *longicorne* ou *longiligne*.

12 *(p. 29). Voulant-être* : Parodie du jargon sartrien ; *L'Être et le Néant* a paru en 1943.

13 *(p. 32). (A l'échancrure)* : Dans l'édition de 1947 : *Éranchucre* (autre anagramme).

14 *(p. 35). Homéotéleutes* : Cette figure de style consiste à placer à la fin des phrases ou membres de phrases des mots comportant les mêmes finales.

15 *(p. 35). Capitule* : Terme de botanique (du latin *capitulum* : petite tête).

16 *(p. 38). Prière d'insérer* : Présentation d'un ouvrage sur un encart imprimé joint aux exemplaires destinés aux journalistes.

17 *(p. 39). Pour qui sont ces serpents qui sifflent sur* : Célèbre allitération de Racine (*Andromaque*, acte V, sc. 5).

18 *(p. 48). Cours doubles* : La Cour de Rome et la Cour du Havre.

19 *(p. 52). Polyptotes* : Emploi d'un même mot sous plusieurs des formes grammaticales dont il est susceptible.

20 *(p. 57). Pinglots* : Altération argotique de *pinceau*, synonyme populaire de « pied ».

21 *(p. 62). Ampoulé* : Dans l'édition de 1947, le titre est « Noble ».

22 *(p. 62). L'aurore* : « L'Aurore aux doigts de rose » (Homère, *Odyssée*, V).

23 *(p. 62). Aux yeux de vache* : Chez Homère, cette dernière expression caractérise la déesse Héra.

24 *(p. 62). Au pied rapide* : Homère caractérise ainsi Achille, le guerrier grec.

25 *(p. 62). De suie* : Le poète Malherbe évoque « La Discorde aux crins de couleuvre ».

26 *(p. 71). Un michet* : Ou *micheton* : sot, dupe, ou client d'une prostituée (emploi familier).

27 *(p. 72). Paréchèses* : Défaut de langage : on place à côté l'une de l'autre des syllabes de même sonorité.

28 *(p. 72). Buccule* : Néologisme formé sur *bucca* (en latin : bouche).

29 *(p. 72). Brusquement [...] bousculait* : *Busquement* et *buscoulait* dans l'édition de 1947.

30 *(p. 72). Stibulation* : Une stipulation est une précision donnée expressément.

31 *(p. 74). Petite-Pologne* : Sur les lieux évoqués dans ce texte, cf. p. 181-182.

32 *(p. 76). Fortuite* : « Beau comme [...] la rencontre fortuite sur une table de dissection d'une machine à coudre et d'un parapluie ! » (Lautréamont, *Les Chants de Maldoror*, VI, 1869).

33 *(p. 77). Autobusilistique* : Nouvelle « composition de mots ».

156

34 *(p. 80). D'un long cou* : « Le Héron au long bec emmanché d'un long cou » (La Fontaine, *Fables*, VII, 4).

35 *(p. 80). Sébastien-Bottin* : L'Institut de France (quai de Conti), où siège l'Académie française, n'est qu'à quelques centaines de mètres des éditions Gallimard (rue Sébastien-Bottin) et du Flore, un des plus célèbres cafés de Saint-Germain-des-Prés dans l'immédiat après-guerre.

36 *(p. 82). Orgue de Barbarie* : Cet instrument de musique et l'appareil à oblitérer les tickets ont en commun une petite manivelle.

37 *(p. 86). Grecs* : *D'abbés* jusqu'à *aides grecs* : alphabet homophonique (cf. p. 127).

38 *(p. 86). Fashionable* : Mot anglais usité au XIXᵉ siècle : à la pointe de la mode. Chateaubriand l'emploie substantivement.

39 *(p. 87). Chouigne-gueume* : De l'anglais *chewing-gum* (cf. p. 112).

40 *(p. 88). Les grappes* : *Grapes of Wrath*, le roman de Steinbeck, date de 1939 ; sa traduction française — *Les raisins de la colère* — paraît en 1947.

41 *(p. 92). Pardingues* : Pardessus (par suffixation argotique).

42 *(p. 93). Coinquant* : Participe formé sur une onomatopée ; le « teuff teuff » de la page 39 est devenu « coin coin » !

43 *(p. 93). Voyajrices* : Dans *Les enfants du limon* (1938) on trouve *libre-pensrice*.

44 *(p. 95). Arcturus* : Ce nom d'origine grecque, attribué à l'étoile Alpha Bouvier, désigne « le chasseur qui ne perd pas l'ourse de vue » ; cet astre se trouve en effet dans le prolongement de la queue de la Grande Ourse.

45 *(p. 107). Tanka* : Au Japon, poème de trente et une syllabes réparties en cinq vers selon le schéma 5/7/5/7/7.

46 *(p. 110). Translation* : Cet « exercice » et le suivant, « Lipogramme », sont définis page 209.

47 *(p. 112). Beau* : Ce nom commun, d'emploi vieilli, désigne un élégant. Les Anglais utilisent avec un sens voisin : *dandy*.

48 *(p. 115). Paragoges* : Addition à la fin d'un mot d'un phonème non étymologique.

49 *(p. 121). Joséphine* : La plate-forme supérieure de certains véhicules publics s'appelait l'impériale... Allusion à l'impératrice ? A moins que l'auteur ne songe aux noms pittoresques des compagnies d'omnibus, avant 1855 : Carolines, Gazelles, Hirondelles, Joséphines...

50 *(p. 121). Le trop long* : Clin d'œil aux épithètes caractérisant certains souverains : Charles II le Chauve, Charles III le Gros... ?

51 *(p. 121). Gibus* : Inventeur d'un modèle de chapeau haut de forme auquel il a laissé son nom.

52 *(p. 121). Trissotin* : Le « trois fois sot » des *Femmes savantes* de Molière.

53 *(p. 121)*. *Rubens* : Peintre flamand (1577-1640).

54 *(p. 121)*. *Poldèves* : Le canular des Poldèves Martyrs fut lancé en 1929. Queneau se souviendra de ce peuple imaginaire en écrivant *Pierrot mon ami* (1943) : une sépulture poldève joue un rôle important dans ce roman.

55 *(p. 121)*. *Eris* : Nom de deux déesses de la discorde dans une œuvre du poète grec Hésiode (VIIIᵉ-VIIᵉ siècle avant J.-C.).

56 *(p. 121)*. *Laplace* : Une célèbre équation porte le nom du marquis de Laplace (1749-1827), physicien, astronome et mathématicien. *Laplace* va entraîner *Huyghens*, par association d'idées...

57 *(p. 121)*. *Huyghens* : Mathématicien et astronome, inventeur de l'horloge à balancier (1629-1695).

58 *(p. 121)*. *Cicéron* : Conversation (par métonymie). L'orateur latin a donné son nom, par allusion à leur verbosité, aux guides italiens qui accompagnent les touristes. On dit : faire le cicérone.

59 *(p. 121)*. *Brummell* : Le plus célèbre dandy anglais (1778-1840).

60 *(p. 122)*. *Loucherbem* : Argot des bouchers.

61 *(p. 123)*. *Javanais* : Un autre argot (cf. p. 207). Rien à voir avec l'île de Java !

62 *(p. 126)*. *Populusque* : « Senatus populusque romanus » : Formule célèbre qui soulignait, sous la République romaine, le partage du pouvoir entre le Sénat et l'Assemblée du peuple.

63 *(p. 126)*. *Ejusdem farinae* : De la même farine (cf. aussi p. 151). Se dit de choses ou de personnes de même nature, qui ne valent pas mieux l'une que l'autre.

64 *(p. 132)*. *Tylosis gompheux* : Du grec *tulosis* : callosité, cor au pied ; du grec *gomphos* : cheville, articulation.

65 *(p. 137)*. *Vont boire* : « C'était l'heure tranquille où les lions vont boire » (V. Hugo, « Booz endormi », *La légende des siècles*, II).

66 *(p. 137)*. *Zoziau* : mot formé, comme *zozo* (p. 64), à partir de la seconde syllabe d'*oiseau* ?

67 *(p. 140)*. *Florès* : *Faire florès*, expression littéraire et vieillie ; signifie : obtenir des succès, une réputation.

68 *(p. 140)*. *Terrain* : Dans ce contexte, le « terrain » est le lieu où se déroule un duel.

69 *(p. 141)*. *Copurchic* : Composé de *pur* et de *chic*, ce mot est apparu en 1886 dans *Le Figaro*.

70 *(p. 141)*. *Pet-en-l'air* : Court veston d'intérieur qui s'arrête au bas des reins.

71 *(p. 141)*. *La haute* : La haute société (expression populaire).

72 *(p. 142)*. *Probabiliste* : Qui utilise la théorie des probabilités. Cette acception de l'adjectif apparaît en 1947.

73 *(p. 147)*. *Racornissou* : Aphérèse d'*engourdi* et paragoge de *racorni* (cf. p. 54 et 115).

74 *(p. 148). Pantruche* : Paris (argotique).

75 *(p. 151). Plombagineuse* : Couleur de plombagine (graphite, mine de plomb).

76 *(p. 151). Gentiane* : La racine de cette herbacée produit un suc amer qui sert à fabriquer une boisson apéritive (cf. le « picon », p. 152).

77 *(p. 151). Hic et nunc* : En latin, « ici et maintenant » ; sur-le-champ, sans délai.

■ Vous avez rencontré, surtout dans les titres d' « exercices », bien d'autres termes peu courants : « Aphérèses » (p. 54), « Apocopes » (p. 55), « Syncopes » (p. 56), « Prosthèses » (p. 113), « Epenthèses » (p. 114), « Métathèses » (p. 118)... Avez-vous pensé à vérifier leur sens dans un bon dictionnaire ?

DOSSIER

par Jean-Pierre Renard

Ce dossier pédagogique s'adresse à la classe tout entière, professeur et élèves. Ce n'est pas un commentaire continu et dogmatique du texte étudié, mais une alternance, distinguée typographiquement, entre informations, analyses (en caractères maigres), et incitations à la réflexion, questions (en caractères gras), à traiter par écrit ou par oral, individuellement ou en classe. Dans les deux sections principales — « Thématique » et « Formes et langages » —, l'analyse proposée laisse progressivement plus de place à l'initiative et à la recherche du lecteur.

Pour faciliter l'élaboration des essais littéraires (cf. la dernière section « Divers »), on trouvera en marge les repères suivants :

qui renvoie au sujet n° 1 ;

qui renvoie au sujet n° 2.

Les initiales *BCL* renvoient au recueil d'essais regroupés en 1965 par Queneau sous le titre *Bâtons, chiffres et lettres* (Folio/Essais n° 247).

1. CONTEXTES

Repères chronologiques ▪ Genèse.

La publication des *Exercices de style*, en 1947, marque un tournant dans la carrière de Queneau : l'écrivain confidentiel des années trente va devenir un auteur reconnu et courtisé par le monde du spectacle.

À l'image de l'œuvre entière de Queneau, multiforme, drôle et savante, cet ouvrage inclassable est aussi le reflet d'un cheminement personnel dont il faut rappeler les étapes principales.

Repères chronologiques

1903 : Naissance au Havre, le 21 février, de Raymond Auguste Queneau : « Ma mère était mercière et mon père mercier... » (*Chêne et chien*). Les rubans et boutons seront omniprésents dans les *Exercices de style*.

1913-1918 : Années de lycée. S'intéresse à l'Égypte ancienne, à la géométrie, à la chimie, aux films de Chaplin...

1940 : C'est la guerre ; Queneau l'évoquera, vue du Havre, dans *Un rude hiver*, publié en 1939.

1920 : Baccalauréat. Inscription à l'université de Paris (Sorbonne) pour suivre des études de philosophie. La famille s'installe à Épinay-sur-Orge ; Queneau emprunte les trains de banlieue, comme le feront de nombreux personnages de ses romans.

1921 : S'abonne à *Littérature*, revue surréaliste fondée deux ans plus tôt par Breton, Aragon et Soupault. Se passionne pour les mathématiques et l'œuvre de Marcel Proust.

1924-1929 : Participe aux activités du milieu surréaliste, avec une parenthèse de dix-huit mois où il accomplit son service militaire dans les zouaves. On trouve dans *Odile* (1937) des échos de toute cette période.

1925 : Premier texte publié, « Récit de rêve », dans *La Révolution surréaliste*. Jusqu'en 1928, la signature de Queneau apparaît au bas de divers éditoriaux et manifestes surréalistes.

1926 : Licence de philosophie.

1928 : Il fréquente le groupe surréaliste dit « de la rue du Château » : J. Prévert, le peintre Y. Tanguy, M. Duhamel, futur directeur de la célèbre « Série noire ». Le 28 juillet, il épouse Janine Kahn, belle-sœur d'André Breton. Commence à peindre.

1929 : Rupture avec Breton. Il découvre l'*Ulysse* de James Joyce.

1932 : Rédige pendant un long voyage en Grèce son premier roman, *Le chiendent*, publié l'année suivante.

1934 : *Gueule de pierre*. Naissance de son fils, Jean-Marie. Pendant les dix ans qui suivent sa « période surréaliste », Queneau cherche sa voie ; il s'intéresse aux mathématiques, réalise des pictogrammes, suit des cours de philosophie et d'histoire des religions, se soumet — de 1932 à 1939 — à une psychanalyse.

1936 : *Les derniers jours*. À partir du 23 novembre, et pendant deux ans, Queneau tient une rubrique quotidienne dans *L'Intransigeant*, intitulée « Connaissez-vous Paris ? ». « À raison de trois questions par jour, cela en fit plus de deux mille que je posai au lecteur bénévole... » Emménagement à Neuilly, 9, rue Casimir-Pinel ; Queneau y habitera jusqu'à sa mort.

1937 : *Chêne et chien*, « roman en vers ».

1938 : Queneau entre au comité de lecture des éditions Gallimard.

1939 : Mobilisé fin août, il retrouve la vie civile onze mois plus tard.

1941 : Devenu secrétaire général des éditions Gallimard, il refuse sous l'Occupation de collaborer à *La Nouvelle Revue française*, dirigée par Drieu la Rochelle, chef de file des intellectuels acquis à l'ennemi.

1944 : *Loin de Rueil*. 6 juin : débarquement des Alliés ; Queneau, qui collabore à diverses publications clandestines, devient en septembre un des dirigeants du Comité national des écrivains.

1945 : Après la Libération, Queneau est une figure en vue de Saint-Germain-des-Prés, une personnalité de la vie parisienne : pendant une quinzaine d'années, inaugurations, participation à des jurys littéraires, conférences, collaborations cinématographiques vont se multiplier.

1947 : *Exercices de style* ; *Bucoliques* (poèmes).

1948 : *Saint Glinglin* (roman) ; *L'instant fatal* (poèmes). Queneau devient membre de la Société mathématique de France.

1949 : Il expose ses gouaches, peintes entre 1928 et 1948. En avril, Yves Robert met en scène, au cabaret la Rose Rouge, les *Exercices de style*, interprétés par les Frères Jacques. Créée par Juliette Gréco, la chanson « Si tu t'imagines » (poème de Queneau mis en musique par J. Kosma) connaît un grand succès.

1950 : *Bâtons, chiffres et lettres* ; *Petite cosmogonie portative* (poèmes).

1951 : Élection à l'Académie Goncourt. Écrit le commentaire d'*Arithmétique*, court-métrage de P. Kast.

1952 : *Le dimanche de la vie* (roman) ; Queneau est juré au Festival de Cannes.

1953 : Il écrit les dialogues de *Monsieur Ripois*, film de René Clément.

1954 : Queneau accepte la direction de l'« Encyclopédie de la Pléiade » ; chez Gallimard, réception pour la sortie du disque des Frères Jacques consacré aux *Exercices de style*.

1955 : Il écrit les chansons de *Gervaise*, film de René Clément, et les dialogues de celui de Luis Buñuel, *La mort en ce jardin*.

1958 : *Sonnets* et *Le chien à la mandoline* (poèmes).

1959 : *Zazie dans le métro*. Le roman est adapté en décembre au théâtre, et le film de Louis Malle sortira l'année suivante.

1960 : Queneau fonde avec F. Le Lionnais l'Oulipo (Ouvroir de littérature potentielle).

1961 : *Cent mille milliards de poèmes*. Création au TNP d'une comédie musicale tirée de *Loin de Rueil*.

1965 : *Les fleurs bleues* (roman).

1967 : *Courir les rues* (poèmes). Commentaire du court-métrage de B. Lemoine, *L'emploi du temps*, qui se présente comme un pastiche des *Exercices de style* (plusieurs versions cinématographiques d'un même incident).

1968 : *Le vol d'Icare* (roman) ; *Battre la campagne* (poèmes). Le 29 avril, une communication de Queneau intitulée « Théorie des nombres — sur les suites s-additives » est présentée à l'Académie des sciences.

1969 : *Fendre les flots* (poèmes).

1972 : Janine, sa femme, meurt le 18 juillet.

1973 : *La littérature potentielle*, ouvrage collectif de l'Oulipo. *Le voyage en Grèce* (articles).

1975 : *Morale élémentaire* (poèmes).

1976 : Queneau meurt le 25 octobre.

Genèse

Dans les années trente, Queneau et son ami le poète Michel Leiris assistent, salle Pleyel, à un concert où l'on donnait *l'Art de la fugue*, de Bach. « Nous nous sommes dit, en sortant, qu'il serait bien intéressant de faire quelque chose de ce genre sur le plan littéraire », d'édifier « une œuvre au moyen de variations proliférant presque à l'infini autour d'un thème assez mince » (préface à l'édition illustrée des *Exercices de style*, 1963).

Ce projet de **variations** n'est mis à exécution qu'en mai 1942 ; Queneau compose alors une série de douze « exercices », sous le titre « Le dodécaèdre ». D'autres sont écrites d'août 1942 à juillet 1944, et en 1945 il rédige encore dix-huit textes. Au total, ce sont les quarante-sept premiers textes de la table actuelle, à l'exception de « Récit », inséré postérieurement, qui ont été écrits pendant ces quatre années de guerre, et publiés dans diverses revues animées par l'esprit de la Résistance. « Tout le reste » (c'est-à-dire cinquante-deux textes !) « fut liquidé pendant l'été 46 », indique Queneau.

Pourquoi s'être arrêté à quatre-vingt-dix-neuf ? En

1953, il répond : « Dans le projet original, les exercices étaient plus nombreux. Mais la paresse m'a fait cesser. Je n'ai pas voulu ennuyer le lecteur. »

■ **Consultez la liste des 122 « exercices de style possibles » proposés par Queneau en annexe de l'édition des « exercices de style accompagnés de 33 exercices de style parallèles peints, dessinés ou sculptés par Carelman et de 99 exercices de style typographiques de Massin » (Gallimard, 1963).**

Dix ans plus tard, il estime « la quantité satisfaisante ; ni trop, ni trop peu : l'idéal grec, quoi ! ».

L'ouvrage a paru en 1947 ; mais ce n'est pas tout à fait le texte de cette première édition que nous lisons aujourd'hui ; en 1963 apparaissent en effet deux sortes de **modifications** : Queneau a d'une part supprimé six textes de 1947 et les a remplacés par six autres (le total reste donc 99 !) ; d'autre part huit titres ont été modifiés :

Édition de 1947	Édition de 1963
Textes supprimés	Textes nouveaux
Permutations par groupes de deux, trois, quatre et cinq lettres	Ensembliste
Permutations par groupes de neuf, dix, onze et douze lettres	Définitionnel

Haï Kaï	Tanka
Réactionnaire	Translation
Féminin	Lipogramme
Mathématique	Géométrique

Titres supprimés	Nouveaux titres
Homéoptotes	Homéotéleutes
Prétérit	Passé simple
Noble	Ampoulé
Permutations par groupes de cinq, six, sept et huit lettres	Permutations par groupes croissants de lettres
Permutations par groupes de un, deux, trois et quatre mots	Permutations par groupes croissants de mots
Contre-vérités	Antonymique
Latin de cuisine	Macaronique
À peu près	Homophonique

Retenons trois observations :

● Queneau a supprimé deux textes qui, présentant un ancrage historique et polémique précis, pouvaient paraître trop datés pour un lecteur des années soixante : « Féminin », qui met en scène une jeune femme futile et aguicheuse et « Réactionnaire », dont le narrateur est un pétainiste grincheux.

● Il n'a conservé qu'un seul des trois « exercices » de « permutations » initialement consacrés à des jeux de déplacements de lettres, d'une lecture bien aride...

● Enfin, trois des textes nouveaux témoignent d'une évolution des centres d'intérêt de Queneau : c'est le distingué membre de la Société mathématique de France qui signe « Ensembliste », et c'est l'éminent cofondateur de l'Oulipo (cf. p. 208-209) qui imagine « Translation » et « Lipogramme ».

■ En comparant les quatorze titres de l'édition de 1947 et ceux de 1963, montrez que l'auteur a voulu donner une plus grande unité à la table des matières (nombre de mots, nature des mots choisis).

2. THÉMATIQUE

Les quatre personnages ■ Un itinéraire parisien.

Le chef-d'œuvre, explique Queneau dans *Le voyage en Grèce*, c'est un bulbe d'oignon « dont les uns se contentent d'enlever la pelure superficielle tandis que d'autres, moins nombreux, l'épluchent pellicule par pellicule ».

Une altercation dans un autobus... Une rencontre devant la gare Saint-Lazare... Un chapeau... Un bouton... Et si cette « brève histoire » n'était que « la pelure » ?

Les quatre personnages

■ **Les trois protagonistes et celui qui les observe sont très clairement présentés dans deux textes voisins (p. 38 et 40). En quoi les informations données diffèrent-elles ?**

Le narrateur

Passager de l'autobus à l'aller et au retour, le « je » de chacun des « exercices » est un personnage **différent** : il est verbeux ou laconique, précis ou évasif dans son témoignage ; son caractère et son humeur varient autant que ses origines sociales ou géographiques ; le jugement qu'il porte sur le jeune homme et son ami est plus ou moins objectif...

■ **Comparez les trente titres-adjectifs avec les qualificatifs** de la célèbre tirade « des nez » dans *Cyrano de Berge-rac*, d'Edmond Rostand ; existe-t-il des similitudes ?

■ Remplacez d'autres titres d'« exercices » par un adjectif qualifiant le narrateur (par ex. p. 77 : « Prétentieux »).

■ « Lettre officielle » : faites le portrait de son auteur.

Un jeune homme

● « C'est le personnage principal. » Sa **jeunesse** est parfois soulignée par une indication chiffrée (p. 7, 22, 25, 83, 150) ; d'autres termes y font également référence :

■ Poulet-damoiseau-girafeau-éphèbe-garnement-oisil-lon-jouvenceau-garçon-morveux-gamin : vérifiez les sens et l'étymologie de ces mots ; en quoi connotent-ils la jeunesse ? A quel(s) registre(s) de langue appar-tiennent-ils ?

● D'un physique ingrat (quel cou !), il est présenté, sur le plan intellectuel et moral, d'une façon tout aussi dépréciative.

■ Relevez les termes stigmatisant son manque d'intelli-gence et son caractère prétentieux (p. 10, 13, 18, 64, 85, 132, 133, 138, 140 et 141). Précisez leur sens et leur ori-gine ; puis rédigez dans un registre courant un portrait du jeune homme.

Agressif et querelleur, il est de surcroît peureux (les symptômes de sa lâcheté sont très nombreux).

■ Employez chacun des verbes suivants, utilisés par Que-neau, dans un contexte différent (attention à la construc-tion de leurs compléments !) : haranguer-s'irriter-se

prendre de querelle-pester-vitupérer-gueuler-reprocher-apostropher-râler-se plaindre.

● C'est enfin un zazou (p. 105, 107, 111); les deux détails vestimentaires qui le caractérisent n'ont pas été choisis au hasard.

> *Quand Cab Calloway, l'un des rois américains du « swing », vient en Europe, dans les années trente, avec l'orchestre du Cotton Club, il joue un morceau intitulé « Zaz Zuh Zaz » et dès 1938, une chanson de Johnny Hess associe les deux mots :*
>
> > Je suis swing, oh... je suis swing
> > zazou, zazou, zazou hé!
>
> *La mode « zazou » va naître sous le régime de Vichy. Elle caractérise de très jeunes gens qui arborent des tenues excentriques (vestes trop larges, chapeaux mous) et fréquentent cafés chics et « surprises-parties » (lisez* Vercoquin et le plancton, *de B. Vian — Folio nº 374 — paru en 1946). Dès 1941, le régime de Vichy voit d'un très mauvais œil le phénomène zazou : alors qu'il vise à reprendre en main la jeunesse, les zazous scandalisent par leur oisiveté, l'extravagance de leurs tenues, leur intérêt pour le jazz. Entre 1941 et 1944, la presse collaborationniste les attaque de plus en plus violemment.*
>
> *Certes, aucun de ces zazous ne se prend pour un Résistant! Mais leur mode, née en réaction contre les pesanteurs de l'idéologie pétainiste, a pris valeur de symbole.*

Un quidam

Ce second personnage, peu caractérisé (un « quidam »,
c'est... « quelqu'un ») joue le rôle du « Français
moyen » ; dans « Partial », sa réprobation et sa per-
plexité sont celles des « bourgeois pétainistes de
Neuilly » devant « la surprenante apparition de ce nouvel aspect de la faune humaine que fut le zazou » (*BCL*,
p. 143).

■ **Des termes précis (p. 72, 84, 85, 112, 132, 133, 138)
indiquent que ce « quidam » est l'antithèse du « jeune
homme » ; montrez-le.**

Un ami

Ce personnage n'apparaît que dans le second épisode
de l'histoire ; présenté comme un proche du jeune
homme, il lui ressemble beaucoup, plusieurs expressions le montrent (p. 43, 64, 106, 145, 146, 151). Mais à
la différence du **zazou** dont la tenue vestimentaire
prête à sourire ou laisse à désirer, il se caractérise par le
soin extrême apporté à sa toilette : c'est un **dandy** ; la
référence à l'Anglais Brummell, surnommé « l'arbitre
des élégances » au début du xixᵉ siècle, est d'ailleurs
explicite (p. 38, 63, 69, 78, 86, 112, 121, 130).

■ **Par quels moyens lexicaux et syntaxiques Queneau
souligne-t-il l'ascendant exercé par le dandy sur son
ami (cf. par ex. p. 7, 9, 11, 24, 49, 63, 66...)?**

■ **Le dandysme a fasciné de nombreux écrivains du
xixᵉ siècle (Baudelaire, Barbey d'Aurevilly, etc.). Docu-
mentez-vous.**

Une rencontre fortuite ?

Queneau considère Flaubert comme le précurseur du roman moderne et s'intéresse tout particulièrement à *Bouvard et Pécuchet*; en 1942, il écrit une première préface à ce roman; en 1947, une seconde. Or, entre ces deux dates, il compose les *Exercices de style*.

● La rencontre du zazou et du dandy présente quelque analogie avec le début du roman (Folio, p. 51).

■ **Une chaleur torride, un « désert » : Relevez termes et expressions illustrant ces deux caractéristiques (par ex. p. 11, 14, 35, 126).**

■ **Comparez l'accoutrement des deux « amis » et celui des deux copistes du roman sur le plan de la bizarrerie.**

● Dans le *Dictionnaire des idées reçues*, qui fait suite au roman de Flaubert, on peut lire, à l'article « Omnibus » : « Il n'y a jamais de place dans les omnibus. »

Le deux, le double

Les quatre personnages mis en scène fonctionnent deux par deux : le jeune homme et le quidam forment un couple antithétique; le zazou et le dandy sont de la « même farine »; l'observateur enfin des deux scènes (et narrateur dans la plupart des « exercices ») considère « le freluquet au long cou » comme son « alter ego » : N'évoque-t-il pas dans « Apostrophe » « le récit narcissique d'une double rencontre » ?

Plusieurs romans de Queneau mettent aussi en œuvre un **système binaire** de personnages; ainsi, dans

Les fleurs bleues, le duc d'Auge et Cidrolin, que des siècles séparent, se fondent l'un à l'autre dans leurs rêves.

Ce qui est en jeu dans cette distribution par couples, c'est la réflexion de l'écrivain sur la relation qui unit le monde imaginaire au monde réel, la création à son créateur. On peut aussi, derrière le récit anecdotique, lire les *Exercices de style*, où une triple relation d'opposition, de complémentarité, d'identité est quatre-vingt-dix-neuf fois ressassée, comme une interrogation de Queneau sur lui-même : observateur ou acteur ? Et quel acteur ?

Un itinéraire parisien

« Dérives à travers la ville »

Ce vers de « L'Amphion », poème écrit dès 1923, rappelle que Raymond Queneau est un **citadin**, un piéton de Paris ; et si l'histoire racontée dans les *Exercices de style* porte la marque du temps (1942, l'Occupation), elle s'inscrit également dans l'espace, aisément repérable, de la ville.

● « J'adore Paris. C'est une ville qui me paraît absolument nécessaire pour mon existence », écrit Queneau. Il aime en arpenter les rues, en explorer les quartiers, en observer les transformations. Du 23 novembre 1936 au 26 octobre 1938, il tient dans le quotidien *L'Intransigeant* une rubrique intitulée « Connaissez-vous Paris ? ». Il pose chaque jour trois questions aux lecteurs, qui peuvent consulter les réponses à la page des « petites annonces » ; au total, ce sont plus de deux mille informations que livre Queneau à la curiosité du public, concernant aussi bien le nom des rues qu'un détail architectural ou un point d'histoire locale.

● Les *Exercices de style* n'accordent guère d'importance à l'érudition ni au pittoresque du paysage urbain. Sans doute, pour remplacer « heures » par « Huyghens » (p. 121), fallait-il connaître l'inventeur dont une rue du quatorzième arrondissement porte le nom ? Mais, pour l'essentiel, la « grande ville » (p. 148) n'apparaît que sous la forme de **quelques toponymes** sans mystère, « la Bastille » (p. 18), « le Jardin d'Acclimatation » (p. 137), ou qu'à travers ces trois hauts lieux de la littérature française cités dans « Maladroit » (p. 80, note 35).

L'érudition de l'ancien chroniqueur n'est perceptible que dans un texte : « Fantomatique », où trois lieux-dits rappellent ce qu'était au XVIIIe siècle le futur huitième arrondissement !

En 1778, le duc d'Orléans, futur Philippe-Égalité, fit dessiner un parc sur ses terres de la « Plaine-Monceau », où il possédait un pavillon de chasse ; on y bâtit des « fabriques », à la mode des jardins anglais : pagode, temple romain, pyramide... Qu'un zazou de 1942 y apparût était bien dans l'esprit de ce pays d'illusion ! Par ailleurs, une « pépinière » royale se trouvait au sud-est du parc Monceau ;

> *quant à la « Petite-Pologne », c'est dès le XVIᵉ siècle un lieu-dit qui tire probablement son nom d'une enseigne d'auberge, « Au Roi de Pologne » : on pouvait en effet y « boire chopine » ! Le futur Henri III, roi de Pologne avant de régner en France, possédait une propriété sur l'emplacement actuel de la Cour de Rome...*

■ « Fantomatique » s'inspire du style du XVIIIᵉ siècle ; relevez quelques archaïsmes (orthographe, lexique, syntaxe).

■ Rédiger un « procès-verbal » ou un compte rendu demande qu'on respecte certaines règles de présentation et d'écriture. Le garde-chasse s'y conforme-t-il ? Donnez des exemples précis.

La ligne S

L'exploitation de la ligne Contrescarpe-Champerret, mise en service en 1913 par la Compagnie générale des omnibus (cf. « Modern style »), cessa le 18 mai 1942 (Queneau composait alors ses premiers « exercices ») pour reprendre le 26 novembre 1945, sous l'indice 84 (modification qu'un seul texte, nécessairement postérieur à cette date, signale : « Récit ». Depuis novembre 1961, le 84 s'arrête place du Panthéon, deux arrêts avant la Contrescarpe.

● Les indications fournies par Queneau dans le premier épisode de son récit correspondent tout à fait au **trajet réel** de l'autobus S : il passe à proximité du parc Monceau (p. 27, 97, 116, 150), emprunte la rue de Lisbonne (p. 138), remonte la rue de Courcelles (p. 36) ; c'est le temps qu'il faut au narrateur pour observer le jeune homme et assister à son altercation avec un « quidam » ; au dernier arrêt avant le terminus, place Péreire, l'incident est clos : le zazou fonce vers une place libre (p. 141).

Mais tous ces toponymes disparaissent du second paragraphe, dans lequel le narrateur évoque son retour vers la « rive gauche », toujours dans l'S (p. 51, 69, 82) ; en revanche, la conversation entre le jeune homme et son « camarade » est située « Cour de Rome » (citée dans une vingtaine de textes), devant « la gare Saint-Lazare » (la moitié des « exercices » y font référence).

● Voilà une **double anomalie** ! Comment le narrateur pourrait-il, de l'intérieur de l'autobus en marche (p. 84, 98, 135, 141...), entendre ce que disent les deux élégants ? Le souci de réalisme dont témoignait la première partie de l'anecdote a disparu, ce que confirme une deuxième entorse à la réalité : jamais la ligne S (ou 84) n'est passée Cour de Rome, devant la gare Saint-Lazare ! Et c'est pourtant le seul lieu qui soit, au fil des textes, décrit de façon précise : dimensions, architecture, configuration des lieux (p. 22, 48, 105-106, 131, 148). Queneau semble avoir accordé une valeur symbolique à ce lieu, en imposant à l'autobus S cette **déviation imaginaire**.

● Une gare, c'est un lieu de passage, une transition entre la ville et le reste du monde : banlieue ou province. D'ailleurs, la disposition même de la gare Saint-Lazare (« aux cours doubles », p. 48) tient compte de ces deux destinations : l'« entrée banlieue » (p. 22) se trouve Cour de Rome, et l'accès aux grandes lignes (la Normandie) se fait Cour... du Havre ! Si l'on se rappelle que c'est la ville où Queneau a passé toute son enfance, avant d'habiter la banlieue, à Épinay, puis à Neuilly, non loin de la porte de Champerret, on est conduit à suivre l'itinéraire de l'S comme un **parcours autobiographique**.

Le narrateur, n'est-ce pas Queneau adulte, devenu depuis un an secrétaire général des éditions Gallimard, et qui regagne en autobus son lieu de travail (« la rue Sébastien-Bottin », citée p. 80, est tout près de l'arrêt « Rue-du-Bac » de la ligne S), au centre géographique et intellectuel de la capitale ? A l'inverse, le couple de jeunes gens aperçus devant Saint-Lazare pourrait incarner une autre image, dont l'écrivain cherche à se séparer, celle de l'enfant havrais, celle de l'adolescent immature, associé à l'univers de la banlieue : « la Serre des Banlieusards » (p. 131), autrefois « jardinet [...] planté de salades » (p. 74), c'est l'antichambre de la campagne, constamment dépréciée dans l'œuvre de Queneau, pour qui « l'homme ne s'accomplit que dans la ville » (*Saint Glinglin*). Dans le Paris des *Exercices de style*, c'est « le mol asphalte » qui « palpit[e] doucement » (p. 141 et 150) et c'est au « Flore » (p. 80) qu'on échappe à **la** flore...

Autobus mode d'emploi

Queneau a souvent souligné son « amour violent des transports en commun ». Métro, trains, tramways, autobus constituent en effet une source d'inspiration privilégiée de l'œuvre quenienne, au même titre que les cinémas, fêtes foraines et cafés (cf. « Inattendu »), décors impersonnels et **populaires**, postes d'observation privilégiés pour l'écrivain.

Dans *Les derniers jours* (1936), roman à caractère autobiographique, Queneau raconte que son héros, Vincent Tuquedenne, « s'intéressait aux modifications d'itinéraires des autobus et aux nouvelles lignes qu'on créait ». L'année suivante, dans sa chronique de *L'Intransigeant*, « Connaissez-vous Paris ? », il sollicite la curiosité de ses lecteurs dans ce domaine ; voici par exemple deux des trois questions posées le 14 juin : « De quelle époque datent les premiers omnibus à Paris et quand disparurent-ils ? Quelles étaient alors les lignes exploitées ? »

Trente ans plus tard, plusieurs poèmes d'un recueil consacré à la ville, *Courir les rues* (Poésie/Gallimard, p. 27, 33, 48) témoignent d'un intérêt persistant pour le petit monde des autobus.

● Au fil des quatre-vingt-dix-neuf textes, Queneau disperse les informations sur les autobus de 1942.

■ **Décrivez leur aspect général et leurs équipements (p. 15, 78, 89, 91, 98, 150), le travail du receveur (p. 36, 67, 81, 82, 83) — comparez avec l'« ératépiste » des *Fleurs bleues* (Folio, p. 49) —, les conditions d'accès (file d'attente, numéros d'ordre, tickets : p. 83, 93, 103, 147, 153).**

● Il est particulièrement sensible à ces rencontres fortuites que favorisent les transports en commun (lisez « Conversations dans le département de la Seine », dans *Contes et propos*, Folio, p. 215) ; aussi les *Exer-*

cices de style abondent-ils en **détails pittoresques** : une plate-forme bondée (p. 138), une population variée (p. 46 et 72), bousculades et protestations (p. 25, 30, 43, 59), odeurs (p. 51, 62, 85, 86)...

■ **Vous empruntez chaque jour bus, car, métro, train... Entraînez-vous à prendre des notes.**

■ **Comparez « Notations » et « Télégraphique » avec « Récit ». Comment le texte a-t-il été réduit ? Quels éléments importants de « Récit » ont disparu (indices spatio-temporels, place du narrateur...) ?**

■ **Proposez un nouvel « exercice » sur le modèle des « petites annonces ».**

■ **Rédigez soit un « mode d'emploi » de votre moyen de transport, soit le récit d'un incident dont vous avez été témoin (tenez compte du cadre, des attitudes et propos des passagers...).**

3. FORMES ET LANGAGES

**Titre ■ Structure ■ La passion ency-
clopédique ■ Exercices de classement ■ Parlez-vous quenien?**

Titre

Exercices de style : ce titre-manifeste, auquel l'auteur
lui-même, dans « Ampoulé » et « Portrait », fait un clin
d'œil, propose une double définition de l'activité littéraire :

● L'écrivain est un éternel apprenti, il doit s'entraîner,
faire ses gammes...

● L'absence dans le titre de toute référence à l'histoire
elle-même souligne qu'« il n'y a ni beaux ni vilains
sujets [...] on pourrait presque établir qu'il n'y en a
aucun, le style étant à lui seul une manière absolue de
voir les choses » (Flaubert, 16 janvier 1852).

■ **Au centre de l'œuvre, « Apostrophe » et « Maladroit » (un
seul et même texte dans les manuscrits de Queneau)
décrivent le travail de l'écrivain. Comment est-il caractérisé?**

Structure

L'ouvrage se présente d'une manière très simple : aucun plan apparent, aucun classement, mais une série de 99 textes de longueur variable, de quatre lignes (« Interjections ») à quatre-vingt-quatorze vers (« Ode »).

La genèse des *Exercices de style* pourrait laisser penser que l'auteur les a laissés dans l'ordre de leur rédaction (cf. p. 171). Présentation purement chronologique ? Pourquoi dans ce cas avoir placé « Récit », écrit tardivement, juste après « Autre subjectivité », seizième texte du recueil ? Quant au nombre 99, est-ce un hasard ? Queneau y tenait, au contraire, puisqu'il a remplacé, on l'a vu, les six textes supprimés de la première édition par... six autres.

En réalité, Queneau, depuis *Le chiendent*, ne laisse rien au hasard ! En réaction contre le surréalisme, défini par Breton comme « dictée de la pensée, en l'absence de tout contrôle exercé par la raison », il élabore « une technique consciente du roman ».

● Sa première préoccupation, ce sont les **nombres** : « Il m'a été insupportable de laisser au hasard le soin de fixer le nombre des chapitres », dit-il de ses trois premiers romans (*BCL*, p. 29). « Ainsi *Le chiendent* se compose de 91 (7 × 13) sections, 91 étant la somme des treize premiers nombres et sa "somme" étant 1... ». « Arithmomaniaque » (selon ses propres mots), Queneau voit dans les nombres les principes qui régissent l'univers.

Pourquoi donc 99 « exercices » ? (En 1956, l'anthologie que propose Queneau « pour une bibliothèque idéale » s'arrêtera, elle aussi, à 99 titres.) Si l'on isole le texte central de l'ouvrage (« Maladroit », le cinquantième), on obtient : 49 (7 × 7) + 1 + 49 (7 × 7). Ce quadruple 7 peut apparaître comme une signature de l'écrivain : « Mon nom et mes deux prénoms, explique-t-il, se composent chacun de sept lettres et je suis né un 21 (3 × 7). » Par ailleurs, le lecteur peut aussi comprendre, en découvrant le proverbe détourné placé dans « Maladroit » : « C'est en écrivant qu'on devient écriveron », que c'est maintenant à lui de prendre le stylo et de s'exercer, à lui d'écrire le centième « exercice de style » ! Dans cette perspective, le nombre 99 prend un caractère subversif et l'œuvre entière se présente comme un **manifeste littéraire**.

En 1978, *La vie mode d'emploi*, de Georges Perec, livre dédié « à la mémoire de Raymond Queneau », comprendra également 99 chapitres...

● Autre facette du programme littéraire de Queneau : il s'imposera « des règles aussi strictes que celles du sonnet » ; d'ailleurs il précise : « Je n'ai jamais vu de différences essentielles entre le roman, tel que j'ai envie d'en écrire, et la poésie » (*BCL*, p. 42). Certes, les *Exercices de style* n'ont rien d'un roman, même si « Prière d'insérer » (p. 38) s'amuse à les présenter comme tel ; mais on y retrouve les caractéristiques du roman quenien.

◗ Une structure en cercle, tout d'abord ; la construction de plusieurs romans de Queneau est en effet

cyclique, la fin y est identique au début, et même si le temps s'est écoulé. les personnages n'ont pas évolué.

▶ Répétitions et leitmotive : « Je suis partisan des choses très construites... J'aime que les personnages entrent et sortent avec beaucoup de précision. S'il y a des **répétitions**, c'est volontaire. C'est comme ça que je travaille », explique-t-il au moment de la parution de *Zazie dans le métro*.

■ **Étudiez dans « Ode » les répétitions et les variations des éléments du texte.**

▶ Queneau fonde enfin sa poétique sur une observation du jeu des sonorités dans la poésie traditionnelle : « On peut faire rimer des situations et des personnages comme on fait rimer des mots, on peut même se contenter d'allitérations » (*BCL*, p. 41). Ainsi, « Lettre officielle » et « Prière d'insérer » **riment** dans la mesure où Queneau y exploite deux situations de communication voisines. Ces jeux binaires, sur le thème du **même** et de l'**autre**, sont nombreux dans l'ouvrage. Parfois des séries plus longues, équivalant à des tercets, quatrains ou quintils, sont mises en œuvre.

■ **Expliquez ce qui fait « rimer » les trois séries suivantes : « Interrogatoire »-« Comédie »-« Apartés » ; « Passé indéfini »-« Présent »-« Passé simple »-« Imparfait » ; « Olfactif »-« Gustatif »-« Tactile »-« Visuel »-« Auditif ».**

La « rime » ne joue pas seulement sur des éléments identiques, mais parfois sur des oppositions.

■ **Précisez en quoi s'opposent les textes suivants, placés côte à côte dans le recueil : « En partie double » et « Litotes » ; « Tanka » et « Vers libres » ; « Ampoulé » et « Vulgaire ».**

La passion encyclopédique

La quête du savoir, essentielle dans l'œuvre de Queneau, s'est traduite de multiples façons suivant les périodes de sa vie : recherches érudites et philosophie, désir de science (mathématiques, Oulipo), passion des langues, direction de la prestigieuse « Encyclopédie de la Pléiade » à partir de 1954.

■ **Plusieurs titres d'« exercices » font explicitement référence à ces différents domaines du savoir ; relevez-les.**

● L'ambition encyclopédique, dans les *Exercices de style*, concerne avant tout le **langage** ; l'auteur y marie le concret et l'abstrait, le burlesque et le sérieux, le « vulgaire » et l'« ampoulé », l'archaïsme et le néologisme, le soutenu et le familier. Il s'agit bien d'une encyclopédie (de poche !) des lexiques, des tons, des types de textes .. des styles !

■ **L'œuvre de Queneau est un florilège de citations et allusions érudites ; pourriez-vous retrouver dans « Hésitations », « Onomatopées », « Ampoulé », « Maladroit », « Gustatif », « Noms propres » et « Zoologique » un clin d'œil à : Homère-Molière-Rostand-La Fontaine-Racine-Steinbeck-Hugo ?**

■ **La deuxième partie de *Bouvard et Pécuchet*, un roman de Flaubert aux ambitions également encyclopédiques, comporte un « Sottisier » dont le mode de classement préfigure la table des matières d'*Exercices de style*. Étudiez-le (Folio, p. 458 et suiv.).**

● Une vocation de **mathématicien** a marqué la carrière de Queneau ; « Précisions », « Ensembliste » et

« Géométrique » nous le rappellent. Dans son roman *Odile* (1937), il prête au personnage principal, Roland Travy, sa passion des nombres, qu'illustre aussi la construction de certaines œuvres comme *Cent mille milliards de poèmes*, un ensemble de dix sonnets dont chaque vers a été massicoté, ce qui donne 10^{14} poèmes... et deux cents millions d'années de lecture ! La logique la plus imparable et la fantaisie la plus débridée, voilà ce qu'aime Queneau dans les mathématiques.

> *L'apparition d'« Ensembliste » dans l'édition de 1963 témoigne de l'intérêt de Queneau pour la théorie des ensembles, sur laquelle s'appuie, depuis 1933, un groupe de mathématiciens (sous le nom collectif de Bourbaki) pour faire progresser la mathématique moderne. À partir de 1940, ils publient des fascicules complétés par des... « exercices » proposés à la sagacité des spécialistes. Queneau en est un lecteur assidu, et les infinitifs à valeur injonctive d'« Ensembliste » et de « Géométrique » sont bien du même style !*

Exercices de classement

Un drôle de genre !

Consultons la liste des œuvres de Raymond Queneau (p. 217). Il y apparaît d'abord comme poète (onze recueils mentionnés) et comme romancier (seize titres), puis comme essayiste, enfin, avec un volume de Mémoires, comme autobiographe.

Cette classification traditionnelle par genres est commode, mais Queneau, dans toute son œuvre, a travaillé à la remettre en question : il construit certains de ses romans comme des poèmes (cf. p. 189) ; *Chêne et chien*, sous-titré « roman en vers », est un récit autobiographique ; dans les trois parties du roman *Les temps mêlés* se succèdent poésie, prose, dialogue théâtral. Quant à certains poèmes, comme la *Petite cosmogonie portative*, ils traitent des questions scientifiques, comme on le faisait au XVIe et au XVIIe siècle.

Le cas d'*Exercices de style* est exemplaire, car l'ensemble échappe à tout classement. On peut sans doute le ranger parmi les **essais**, dans la mesure où c'est un manifeste littéraire ; mais il ne ressemble en rien aux autres livres de ce « genre » : on n'y trouve en effet ni articles regroupés ni réflexion théorique explicite... L'ouvrage ne correspond pas mieux à une définition du **roman**, du **théâtre**, de la **poésie** ou de l'**autobiographie**, même si tous ces genres sont exploités dans l'un ou l'autre texte.

■ **Classez les dix textes suivants, par groupes de deux, dans les cinq genres cités ci-dessus, et précisez en fonction de quels critères : « Notations », « Alexandrins », « Interrogatoire », « Comédie », « Tactile », « Ode », « Impuissant », « Modern style », « Portrait », « Inattendu ».**

Types de textes

● Dans la plupart des « exercices » (par ex. « Récit »), le narrateur rend compte d'un certain nombre d'événements qui mettent aux prises différents personnages ; l'écoulement du temps est souligné par le choix des formes verbales (passé simple, présent de narration) ou des indices lexicaux : « un jour vers midi... Deux heures plus tard... ».

■ **Relevez dans « Paysan » les termes ou expressions ayant rapport au temps (adverbes, locutions conjonctives...).**

Queneau souligne d'ailleurs plaisamment cette appartenance à un **type narratif** dans « Prière d'insérer » : « L'intrigue » de « son nouveau roman » comporte « une rencontre dans un autobus », puis un « épisode final » ; la disposition d'une soixantaine de textes en deux paragraphes, comportant chacun un indice spatial et un indice temporel, souligne cette organisation en deux temps du récit.

■ **Expliquez pour quelle raison (texte non narratif ; syntaxe ; appartenance à un genre donné...) les textes des pages suivantes ne respectent pas cette disposition en deux paragraphes : p. 14, 25, 36, 40, 67, 79, 85, 86, 95, 96, 116.**

● Dans quelques textes, le caractère narratif passe au second plan ou disparaît, au profit d'une **description** ; celle-ci s'organise en général autour de termes appartenant à un même champ lexical et porte sur des éléments distribués dans l'espace ; l'emploi du présent peut donner l'impression d'une description intemporelle. « Tactile » correspond, pour l'essentiel, à ce type descriptif.

« Portrait » : dans quelle sorte d'ouvrage pourrait-on rencontrer ce type de texte ? Justifiez votre réponse par une étude lexicale précise.

A chacun son « stil » ! Choisissez un objet ou un être vivant familier et décrivez-le sous un angle inattendu.

Deux textes voisins ont une visée plutôt **argumentative** : l'émetteur y cherche certes à informer le destinataire du texte, mais aussi à le convaincre.

« Lettre officielle » : à qui écrit l'auteur de ce texte ? Dans quel but, à votre avis (cf. deuxième paragraphe) ? Montrez comment la disposition du texte, ses articulations logiques manifestent le souci de convaincre.

« Prière d'insérer » : beaucoup de bonnes raisons d'acheter et de lire ce « roman » ! Faites-en l'inventaire.

Le garde-chasse de « Fantomatique » veut avant tout « rendre compte » à son lecteur (l'intendant du domaine ?) : il s'agit cette fois d'un texte **informatif** et explicatif : le destinataire du « procès-verbal » doit pouvoir se faire une idée du « phénomène » !

Comme les textes argumentatifs, les textes **injonctifs** visent à influer sur le destinataire, mais il s'agit cette fois de le conseiller, voire de lui dicter un comportement ; le mode infinitif est fréquemment utilisé pour rédiger modes d'emploi ou énoncés de problème (cf. « Ensembliste » et « Géométrique »), mais d'autres temps et modes ont la même valeur injonctive.

Le conseil final donné par le dandy (p. 7, 14, 15, 51, 64…)

est caractérisé par des formes verbales de ce type. Relevez-les.

■ « Pronostications » : un texte narratif, à visée explicative ? injonctive ? Dans chacun de ces cas, imaginez qui pourrait être le narrateur, le destinataire.

Aspects du récit

● **Fiction et narration** : l'intrigue elle-même a une durée très courte (une brève altercation, suivie deux heures plus tard d'une rencontre rapide) ; mais ce temps de la fiction ne se confond pas avec celui de la narration. Ainsi le **rythme** du texte peut s'accélérer (« Télégraphique ») jusqu'à l'ellipse parfois (« Gustatif », deuxième paragraphe) ; il peut aussi ralentir (« Insistance ») grâce à l'accumulation des détails, à des digressions, à des pauses descriptives (« Précieux »). Des retours en arrière peuvent aussi bouleverser la chronologie des événements (« Rétrograde »).

■ Essayez de caractériser le rythme des textes suivants : « En partie double », « Litotes », « Partial », « Le côté subjectif ».

● Le choix d'un **point de vue** : La singularité des *Exercices de style* tient pour beaucoup à l'effacement de l'auteur au profit d'un « je » toujours différent. Ainsi, dans trois textes voisins (« Le côté subjectif », « Autre subjectivité », « Récit »), Queneau donne la parole à trois personnages différents.

■ Dans chacun de ces trois textes, qui sont « je » et « il » ? Quelles marques de l'objectivité et de la subjectivité y relevez-vous (état d'esprit, ton, registre de langue...) ?

■ **Rédigez un quatrième « exercice »; le « je » sera cette fois l'« ami » (le « X » de la page 24).**

● Dans la grande majorité des textes, le narrateur est un passager du S, observateur privilégié des deux scènes. Mais d'un « exercice » à l'autre, la perspective selon laquelle le déroulement de l'histoire est perçu et présenté va pourtant se modifier. Dans « Notations », les informations données se limitent à ce qui peut être vu et entendu de l'**extérieur**, nous ne connaissons pratiquement pas les pensées du narrateur; dans d'autres textes, au contraire, nous ne suivons l'action qu'à travers le regard et les pensées du personnage. Ce point de vue interne est adopté dans quelques **monologues intérieurs**.

> *James Joyce est l'un des premiers romanciers à utiliser cette technique narrative, dans* Ulysse *(1922).* « Le monologue intérieur crée l'illusion d'être à l'intérieur d'un esprit » *(V. Larbaud), il permet d'explorer le moi intime de l'individu, de dévoiler ses hésitations, ses émotions, ses fantasmes. Faulkner y aura également recours, par exemple dans son roman* Tandis que j'agonise *(1930).*

■ **« Exclamations » : quelle impression donne l'emploi du présent? Un style qui cherche à rendre l'émotion : comparez ce texte avec certains passages de *Mort à crédit* (1936), de L.-F. Céline (Folio nº 1692) : syntaxe, ponctuation, niveau de langue.**

● Deux types d'énoncés, **récit** et **discours**, sont en

règle générale associés dans les « exercices » ; c'est le cas d'« Apartés », où le texte en italique ne raconte pas, mais commente les événements ; le présent y remplace le passé simple, et le « je » de l'émetteur y apparaît, ainsi que divers indicateurs de l'opinion du narrateur.

■ **Dissociez nettement récit et discours dans « Distinguo », « Moi je », « Impuissant ».**

■ **« Maladroit » : que reste-t-il du récit ? Le discours du narrateur se présente comme un monologue intérieur. Étudiez comment la syntaxe reflète l'alternance entre moments d'écriture et temps de réflexion, d'hésitation.**

Parlez-vous quenien ?

Qu'on ouvre un de ses romans ou de ses recueils de poèmes, le père de Zazie est l'un des rares écrivains contemporains dont on puisse dire après quelques minutes de lecture : « C'est du Queneau ! » Comme Céline, Michaux ou Ponge, il est l'inventeur d'une langue qu'il n'a cessé de mettre dans tous ses états.

Le plaisir des mots

S'il affectionne les termes familiers, populaires (cf. p. 206-207), il aime aussi enrichir le lexique de ses œuvres de mots rares, vieillis, techniques, savants, dont les sonorités comptent autant que le sens.

● Deux séries de textes illustrent le désir d'exploiter systématiquement certains **champs lexicaux** ; l'une passe en revue les cinq sens (p. 86-94) ; la seconde associe les règnes végétal et animal au fonctionnement du corps humain (p. 131-132 et 135-137).

■ **Exploitez à votre tour un champ lexical particulier. Écrivez un « exercice de style » sportif, musical, architectural, minéral, météorologique, etc.**

Trois textes nous rappellent que la langue française a largement puisé dans le vocabulaire **grec** des éléments radicaux, dont la combinaison a permis de créer les mots nouveaux que le progrès des sciences et des techniques rendait nécessaire.

Dressez une liste des éléments d'origine grecque utilisés dans « Interrogatoire », « Hellénismes », « Médical »; indiquez leur sens et donnez un exemple d'emploi (par ex. : micro/petit/microscope).

Expliquez avec précision la formation du mot « autobus ».

La rencontre de mots savants et d'une situation burlesque crée un effet comique. Comparez de ce point de vue « Interrogatoire » et *Gargantua* de Rabelais, chap. xvii (Folio, p. 241).

Queneau fait revivre nombre de mots **vieillis**, dont l'archaïsme connote historiquement des « exercices » comme « Fantomatique », « Sonnet » ou « Modern style ».

Dans ces trois textes, quels termes jugez-vous « vieillis »? Vérifiez dans un dictionnaire s'ils sont bien considérés comme tels.

À l'inverse, il rappelle qu'une langue vivante s'enrichit de **néologismes**.

■ **Pourriez-vous expliquer la formation de « co-foultitudi-nairement »** (p. 28), **« autobusilistique »** (p. 77), **« tailo-resque »** (p. 86), **« coinquant »** (p. 93)? **Composez, vous aussi, des mots nouveaux!**

● Traducteur de quatre romans écrits dans « la langue de Chexpire » (*sic*!), Queneau invente cependant, dans « Anglicismes », un savoureux sabir où la syntaxe, le lexique et la prononciation de deux langues sont mélangés (le principe est le même dans « Macaronique » et « Italianismes »); « Poor Lay Zanglay » est un essai de transcription du texte français... prononcé par un Anglais!

> *Queneau s'est passionné pour* Finnegan's Wake, *de James Joyce, paru en 1939, ouvrage écrit dans une langue déroutante, mélange de dialectes anglo-saxons et de langues européennes. Dans un texte intitulé « Une traduction en joycien » (BCL, p. 219), on le voit s'exercer à appliquer la méthode joycienne à l'un de ses propres écrits.*

■ **Vous étudiez l'anglais, le latin, l'italien? Sauriez-vous proposer une traduction acceptable de l'un de ces textes? (par ex.: « Un giorno in pieno meriggio, io salii... »)?**

■ **Entraînez-vous à dire à haute voix — et à jouer — certaines scènes célèbres: *Les fourberies de Scapin* (acte III, sc. 2), où Scapin contrefait le langage gascon, puis utilise un baragouin pseudo-germanique; *Le bourgeois gentilhomme* (acte IV, sc. 4 et 5): turc « de cui-**

sine » et « sabir »; *Le malade imaginaire* (acte III, sc. 14) : latin macaronique.

Une floraison de figures

« La poésie ne se réduit pas au lyrisme, encore moins le lyrisme à la métaphore. » La formule illustre la méfiance de Queneau à l'égard de ces ornements qu'on appelle parfois « fleurs de rhétorique ».

● Parmi les figures de **substitution**, la périphrase est utilisée dans « Définitionnel » et l'on trouve bien **une** litote dans... « Litotes », qu'on pourrait aussi intituler « Laconique ». Quant à « Noms propres », ce texte comporte plusieurs métonymies.

■ De nombreux noms propres (prénoms, patronymes, toponymes) sont devenus noms communs par métonymie. Qu'appelle-t-on : un raglan (p. 111), un londrès (p. 85) ?

● Les figures d'**insistance** sont aussi représentées, avec la répétition — « l'une des plus odoriférantes fleurs de rhétorique » (*Les fleurs bleues*, Folio, p. 69), très fréquente dans le recueil (par ex. p. 42, 52, 133), parfois pléonastique (p. 8) —, l'anaphore (p. 29 et 138) et l'hyperbole, dont « Précieux » donne plusieurs exemples.

● Métaphores et comparaisons servent enfin à créer les **images** les plus cocasses (p. 11, 85, 87, 89, 93, etc.).

■ Choisissez dans ces textes quelques métaphores; pour chacune, expliquez quels champs lexicaux sont rapprochés, quel élément commun est mis en évidence.

● « Ampoulé », où Queneau parodie le style noble de
l'épopée, est un véritable florilège de figures de style.
On y trouve en particulier l'**épithète homérique**, qui
accompagne toujours, chez le poète grec, le nom d'un
dieu ou d'un héros (cf. notes 22 à 24).

■ **Relevez les épithètes homériques du texte; quel effet
produit la répétition de certaines? Cherchez des
exemples de comparaisons, de périphrases, d'allégories.
Le comique vient du décalage entre un style « noble » et
un sujet prosaïque; relevez les passages les plus signifi-
catifs.**

■ **Traitez à votre tour dans un style ampoulé un sujet
emprunté à la vie quotidienne.**

Métaplasmes

Une douzaine d'« exercices » sont consacrés à ces
manipulations sur les lettres et les sons qui permettent
de créer des syntagmes nouveaux.

● Les métaplasmes par **suppression**, au début
(« Aphérèses »), à la fin (« Apocopes ») ou au milieu
d'un mot (« Syncopes »), sont constants dans le langage de tous les jours; ils permettent de produire des
énoncés plus courts « bus », « télé », « B'soir
m'sieurs-dames ! »... Sigles, acronymes, mots-valises
ont une fonction analogue.

● Les métaplasmes par **addition** interviennent dans la
formation de certains mots (« Prosthèses » et « Épen-
thèses ») ou en poésie, pour des raisons d'euphonie ou
de métrique (« Paragoges »).

● On peut associer aux « Métathèses » d'autres « exercices » consistant à **déplacer**, voire intervertir des lettres ou des mots entiers ; c'est le cas des deux textes de « Permutations », de « Synchyses », d'« Anagrammes » et de « Contre-petteries ».

■ **« Synchyses » : rétablissez un ordre acceptable en français. Lisez, dans *Le bourgeois gentilhomme* de Molière (acte II, sc. 4), les explications du « maître de philosophie » sur « les diverses manières dont on peut mettre "Belle marquise, vos beaux yeux me font mourir d'amour". »**

■ **Les pseudonymes de certains écrivains sont des anagrammes ; quelle était la véritable identité d'Alcofribas Nasier, de Voltaire, de Don Evané Marquy ? Et le vôtre, futur « écriveron », y avez-vous pensé ?**

■ **« Botus et mouche cousue : c'est votre denise » (les Dupont/d, personnages d'Hergé), la « femme folle à la messe » (Rabelais) : la contrepèterie a souvent un sens burlesque ou grivois. Sauriez-vous en concevoir une ?**

Le néo-français

Plus du quart des *Exercices de style* utilisent un français que dictionnaires et grammaires qualifient de « populaire » ou « familier » ; ces **libertés** prises avec le vocabulaire, la syntaxe ou l'orthographe ont d'ailleurs largement contribué à faire connaître l'œuvre de Queneau du grand public : le spectaculaire incipit de *Zazie dans le métro*, « Doukipudonktan », qui l'ignore encore ?

Queneau s'est intéressé très tôt au langage populaire ; enfant, il lisait les *Aventures des Pieds nickelés* dans *L'Épatant* ; puis il a découvert les poèmes de Jehan Rictus, nourris d'argot. Dans les années vingt, en écoutant le peuple parisien dans les cafés, dans les transports en commun, ou ses camarades de caserne, il prend conscience qu'un français nouveau, dégagé des conventions de l'écriture, est en train de naître ; c'est déjà la thèse du linguiste Vendryès, dans un ouvrage paru en 1920, *Le langage* : « Nous écrivons une langue morte. » L'influence de ce livre sur Queneau est décisive et durable.

● Il tire de ces observations une conclusion simple : il est nécessaire d'inventer une forme d'expression nouvelle qui s'inspire du français **tel qu'on le parle** ; d'ailleurs, toute langue évolue ! Aussi s'en prend-il violemment aux « partisans du français correct et académique » (*BCL*, p. 65), qui refusent de tenir compte du fossé grandissant entre la langue sclérosée des puristes et celle de la rue.

■ **Procurez-vous des textes littéraires, du xıᵉ au xvıᵉ siècle, dans leur version originale ; à quelles difficultés vous heurtez-vous ? Jusqu'à quelle époque vos manuels vous proposent-ils une traduction ?**

Le projet de Queneau est ambitieux : inventer une nouvelle langue — il l'appelle le « néo-français » — et donc une nouvelle littérature, car « un langage nouveau suscite des idées nouvelles et des pensers nouveaux veulent une langue fraîche » (*BCL*, p. 61). Quatre siècles plus tôt, humanistes et poètes de la Renaissance avaient mené à bien une entreprise analogue en substituant le français au latin, la langue des lettrés jusqu'à la fin du Moyen Âge. Codifier et enrichir un parler « vulgaire » pour en faire une langue littéraire, c'était déjà le programme exposé par Du Bellay dans sa *Défense et illustration de la langue française* (1548).

■ **Renseignez-vous sur cet important manifeste littéraire du XVIᵉ siècle.**

● Trois domaines de la langue seront touchés par le « néo-français » : l'orthographe, la syntaxe, le vocabulaire.

▶ Partisan d'une « **ortograf** fonétik », Queneau estime que « sans une notation correcte du français parlé, il sera impossible [...] au poète de prendre conscience de rythmes authentiques, de sonorités exactes, de la véritable musique du langage » (*BCL*, p. 21). Trois seulement des *Exercices de style* comportent plusieurs modifications orthographiques : « Vulgaire », « Ode », « Paysan ».

■ **Relevez-les et expliquez quelles caractéristiques du français parlé elles prennent en compte.**

▶ Le « quenien » touche aussi à la **syntaxe**. Lisez par exemple la dernière phrase d'« Injurieux » : toutes les données grammaticales (« il », « le ») apparaissent d'abord, les données concrètes (« son furoncle », « ce sale con ») n'interviennent qu'ensuite. L'ordre canonique de la phrase française est modifié, mais cette logique syntaxique est bien celle du langage parlé.

■ **Relevez dans « Exclamations », « Alors », « Paysan », de semblables exemples de reprises pronom personnel/**

groupe nominal; réécrivez la phrase en rétablissant l'ordre « normal ».

D'autres marques grammaticales d'un registre familier peuvent être observées : erreur d'auxiliaire (p. 45 et 61), suppression du « ne » des locutions négatives (p. 57 et 70), de l'inversion dans l'incise (p. 64) ou du « il » sujet (p. 91), addition d'éléments sémantiquement vides (p. 70 et 91)...

■ « Paysan » : faites une étude complète des procédés qui permettent de caractériser le narrateur.

■ Étudiez la façon dont des écrivains d'époques différentes donnent la parole à leurs personnages de paysans : Pierrot (Molière, *Dom Juan*, acte II, sc. 1), Maître Blaise (Marivaux, *L'épreuve*), Antonio (Beaumarchais, *Le mariage de Figaro*), Fourchon (Balzac, *Les paysans*), les Tuvache et les Vallin (Maupassant, *Aux champs*).

◗ Dans une vingtaine de textes, Queneau utilise un **lexique** considéré comme appartenant à un registre familier ou à une langue populaire; sa caractéristique la plus fréquente est la substitution du concret à l'abstrait.

■ Connaissez-vous le sens des expressions suivantes : « discuter le bout de gras » (p. 64 et 135), « au quart de poil » (p. 92), « faire le poireau » et « piétiner les plates-bandes » (p. 131), « se faire secouer les puces » (p. 137)? Quelle est leur origine?

■ « Botanique » : quel emploi figuré des mots suivants connaissez-vous : pêche, poire, pomme, pruneau, banane, fraise; radis, chou, endive, salade, etc.?

■ « Zoologique » : le bestiaire d'*Exercices de style* est

abondant (p. 11, 25, 62-63, 80, 150). Écrivez à votre tour un texte où un maximum de noms d'animaux (employés dans des expressions imagées) sera utilisé. Par ex. : taille de guêpe, œil de lynx...

Argots

Queneau n'exploite les ressources de l'argot, jugé « trop périssable », que dans deux textes : « Loucherbem » et « Javanais ». Ce n'est pas une langue à part entière, car sa syntaxe reste celle du français ; seul le lexique est touché ; il s'agit soit d'emprunts (ainsi « arpion », p. 111, vient du provençal), soit d'emplois figurés (l'adjectif « tarte », p. 135, remplace « sot », « ridicule »), ou encore de créations morphologiques, grâce à un système de suffixation très productif (« pardingue », p. 92, ou « prétentiard », p. 133).

L'originalité des deux argots auxquels l'écrivain consacre un « exercice » entier est de recourir à un **codage** qui transforme le vocabulaire ordinaire, ainsi rendu incompréhensible au non-initié.

◼ **Expliquez clairement en quoi consiste, dans ces deux textes, le codage utilisé.**

◼ **Très populaire aujourd'hui, le « verlan » utilise une clef simple : l'interversion des syllabes ; pour vous familiariser avec cet argot, lisez** *La vie de ma mère*, **de Thierry Jonquet, Gallimard (« Série noire », 1994).**

◼ **De nombreux écrivains, depuis le XIXe siècle, se sont intéressés à l'argot (Hugo dans** *Les misérables*, **Zola dans** *L'assommoir*). **Préparez un dossier ou un exposé sur ce sujet.**

Vers l'Oulipo

S'imposer des **règles** stimule la création littéraire, tel est le principe qu'illustrent les *Exercices de style*, dont chaque texte respecte une contrainte différente ; Queneau y explore les potentialités de la langue, invente de nouvelles structures ; il rappelle aussi, en consacrant des « exercices » aux « Alexandrins », au « Sonnet » ou au « Tanka », que la création poétique s'est toujours nourrie de ces contraintes. Quand Queneau fonde l'Oulipo, en 1960, avec le mathématicien F. Le Lionnais, les premiers exemples qu'il donne de littérature « oulipienne » sont d'ailleurs tous des poèmes à **forme fixe** de l'époque médiévale.

> *L'ouvroir de* LITtérature POtentielle *est un atelier de recherches formelles ; romanciers, poètes et mathématiciens y expérimentent des formes littéraires nouvelles ; ils s'inspirent en particulier de combinaisons mathématiques et recourent à l'assistance de l'ordinateur. Même si Queneau parle de recherches « naïves, artisanales, amusantes », elles sont à l'origine d'œuvres importantes (de G. Perec, I. Calvino, J. Roubaud, par exemple).*

● De nombreux « exercices » queniens ont inspiré les travaux des « Oulipiens » ; les plus célèbres sont « Translation » et « Lipogramme ».

◗ Il s'agit dans le premier cas de remplacer chaque substantif d'un texte par le sixième qui le suit dans le dictionnaire ; « heure » devient « hexagone » ; « type »,

« typhon », etc. (Notons que trois mots ont subi une translation inverse !) Rebaptisée « S + 7 » par l'Oulipo, cette technique sera à l'origine d'une « fable » inspirée de La Fontaine : « La Cimaise et la Fraction. »

◗ Le lipogramme est un texte dans lequel on s'oblige à ne pas faire entrer une ou plusieurs lettres de l'alphabet ; celui de Queneau se prive (à une exception près !) du « e ». Perec fera de même dans un roman entier, *La disparition*, paru en 1969.

● On trouve dans les productions de l'Oulipo bien d'autres exemples de contraintes imaginées par Queneau, mises en œuvre par exemple dans « Définitionnel », « Antonymique », « Homophonique »...

■ **Comme l'Oulipo, puisez dans les *Exercices de style* la matière d'un atelier de création littéraire ou d'un recueil plus personnel. Des idées de jeux et d'exercices abondent aussi dans les ouvrages signalés page 214.**

4. DIVERS

En scène! ■ Un style cinématogra-phique ■ Sujets de travail écrit ■ Conseils de lecture.

En scène!

Queneau, dès 1949, a collaboré à de nombreux films et spectacles, sous la forme de chansons, de dialogues ou de commentaires; plusieurs de ses romans ont été adaptés pour la radio, la scène ou l'écran (cf. « Repères chronologiques »). Quant aux *Exercices de style*, le grand public les a découverts, deux ans après la publication du livre, sur la scène d'un cabaret parisien.

Quand le directeur de la Rose Rouge, Yves Robert, prend connaissance de l'ouvrage, il est aussitôt séduit par les **possibilités théâtrales** du texte, en parle aux Frères Jacques, un groupe de comédiens découverts l'année précédente, inventeurs de la chanson mimée : ils interpréteront une trentaine d'« exercices », entou-rés de quelques acteurs chargés de narrer l'action... en latin de cuisine (cf. « Macaronique »).

Depuis cette date, de nombreux artistes ont mis en scène les *Exercices de style*.

■ **Entraînez-vous à lire à haute voix les *Exercices de style* de votre choix. Cherchez au préalable à caractériser le narrateur (statut social, caractère, physique, tenue...). Et n'oubliez pas que « l'oral comporte des éléments qui ne relèvent pas de la grammaire ou de la linguistique : la** modulation, le ton, les bégaiements, les accrocs ». C'est Queneau qui le précise !

■ Réalisez quelques adaptations. Par exemple :

— « Apartés » : conservez les apartés et transformez le récit en texte théâtral (dialogues, didascalies).

— « Comédie » : en vous inspirant de ce modèle (découpage en actes et scènes, didascalies), écrivez une très courte pièce.

— « Interrogatoire » : imaginez qui sont les deux personnages en présence ; travaillez les intonations, les positions respectives des deux comédiens.

Un style cinématographique

Queneau aimait le cinéma, il suffit de lire *Loin de Rueil* pour s'en convaincre. Il a découvert le septième art vers l'âge de douze ans ; les vedettes des films muets d'alors (deux sont citées dans « Noms propres ») ont fasciné l'enfant, et plus tard inspiré l'écrivain.

● Charlot, l'idole des enfants dès 1915, et le jeune homme excentrique des *Exercices de style*, incarnent un même type de personnage : ne symbolisent-ils pas l'individu **non conforme** qui attire l'attention par son accoutrement et sa silhouette bizarre ? Tous deux sont invariablement en butte aux sarcasmes et aux regards réprobateurs des gens « comme il faut ».

● Le style même du livre de Queneau est cinématographique : scènes animées, où déplacements et gestes accompagnent les dialogues ; séquences brèves, que rythme un découpage par « plans », très elliptique (au lecteur d'imaginer, par exemple, ce qui a pu se passer entre les deux actes du « drame » !); modification des points de vue, du champ visuel à l'intérieur d'un même plan.

■ **Préparez l'adaptation d'un « exercice de style », et passez si possible à la réalisation (vidéo ou super 8) :**

— **Un court-métrage muet, en noir et blanc, qui comportera deux cartouches : « Dans l'S » et « Deux heures plus tard » ; écrivez le scénario de deux plans fixes (déplacements gestes, postures, mimiques).**

— **Un court-métrage parlant, en couleurs ; pensez à inclure dans le script découpage technique, dialogues, bruits d'ambiance, éventuellement voix off.**

Sujets de travail écrit

◆ Dans un article de novembre 1938 paru dans la revue *Volontés*, Raymond Queneau écrit : « Toute œuvre demande à être brisée pour être sentie et comprise, toute œuvre présente une résistance au lecteur, toute œuvre est une chose difficile... » Rabelais invitait déjà son lecteur à « rompre l'os et sucer la substantifique moelle », dans le « Prologue » de *Gargantua*. Vous direz en quoi cette définition exigeante de la lecture peut être appliquée aux *Exercices de style* (ou à un roman de Queneau que vous aurez choisi).

◆ « Toute l'invention consiste à faire quelque chose de rien », affirme Racine dans la « Préface » de *Bérénice*.

écrite en 1671 ; et Flaubert rêve en 1852 d'« un livre sur rien [...] qui se tiendrait de lui-même par la force interne de son style » (lettre à Louise Colet). Dans quelle mesure cette conception de la littérature caractérise-t-elle les *Exercices de style* ?

Conseils de lecture

◆ Pour parodier Queneau (cf. p. 80), c'est en lisant qu'on devient liseron ! Commencez par quelques romans : *Loin de Rueil* (Folio n° 849), *Le dimanche de la vie* (Folio n° 442) ou *Pierrot mon ami* (Folio n° 226). Les deux plus célèbres sont sans doute *Zazie dans le métro* (Folio n° 103) et *Les fleurs bleues* (Folio n° 1000), qui ont fait l'objet d'une étude, publiée dans « Folio-thèque » (Gallimard).

◆ Vous aimez la poésie ? Découvrez *Courir les rues*, *Fendre les flots*, *Battre la campagne* (Poésie/Gallimard) ; par ailleurs, toute l'œuvre poétique de Queneau a été publiée en 1992 dans la « Bibliothèque de la Pléiade ».

◆ Pour mieux connaître ses conceptions littéraires, les textes regroupés dans *Bâtons, chiffres et lettres* sont indispensables.

Pour en savoir davantage, consultez :

● Jacques Jouet, *Raymond Queneau* (La Manufacture, 1989).
● Emmanuel Souchier, *Raymond Queneau* (Le Seuil, « Les contemporains », 1991).

● Le n° 650-651 (juin-juillet 1983) de la revue *Europe*, consacré à R. Queneau.

● Si les travaux de l'Oulipo vous intéressent, procurez-vous deux ouvrages collectifs, *La littérature potentielle* (Folio/Essais n° 95) et *Atlas de littérature potentielle* (Folio/Essais n° 109).

● Enfin, si vous voulez vous aussi exercer votre style, car « c'est tout de même agréable d'écrire » (p. 80), inspirez-vous des trois ouvrages publiés par Alain Duchesne et Thierry Leguay : *Petite fabrique de littérature* (Magnard, 1984) ; on y trouve p. 309-310 un hommage appuyé aux *Exercices de style*. — *Lettres en folie* (Magnard, 1988). — *Les petits papiers* (Magnard, 1991).

LES TEMPS MÊLÉS.

PIERROT MON AMI.

LOIN DE RUEIL.

SAINT GLINGLIN.

LE DIMANCHE DE LA VIE.

ZAZIE DANS LE MÉTRO.

ŒUVRES COMPLÈTES DE SALLY MARA.

ON EST TOUJOURS TROP BON AVEC LES
FEMMES.

LES FLEURS BLEUES.

LE VOL D'ICARE.

Essais

EXERCICES DE STYLE.

BÂTONS, CHIFFRES ET LETTRES.

UNE HISTOIRE MODÈLE.

ENTRETIENS AVEC GEORGES CHARBONNIER.

LE VOYAGE EN GRÈCE.

CONTES ET PROPOS (Une Trouille verte. À la limite de la
forêt. En passant. Le Cheval troyen. De quelques langages animaux imaginaires).

TRAITÉ DES VERTUS DÉMOCRATIQUES. *Texte établi
et annoté par Emmanuël Souchier.*

Mémoires

JOURNAL, 1939-1940 *suivi de* PHILOSOPHES ET
VOYOUS. *Texte établi par A.I. Queneau. Notes de Jean-José
Marchand.*

JOURNAUX, 1914-1965. *Édition établie par A.I. Queneau.*

En collaboration

LA LITTÉRATURE POTENTIELLE (Folio essais, n° 95).

ATLAS DE LITTÉRATURE POTENTIELLE (Folio essais, n° 109).

Hors série Luxe

EXERCICES DE STYLE. *Illustrations de Jacques Carelman et Massin (nouvelle édition en 1979).*

ZAZIE DANS LE MÉTRO. *Illustrations de Jacques Carelman.*

Grands Textes illustrés

ZAZIE DANS LE MÉTRO. *Illustrations de Roger Blachon.*

Bibliothèque de la Pléiade

ŒUVRES COMPLÈTES.
  TOME 1. *Édition de Claude Debon.*

Traductions

VINGT ANS DE JEUNESSE, de *Maurice O'Sullivan.*

PETER IBBETSON, de *George Du Maurier.*

L'IVROGNE DANS LA BROUSSE, d'*Amos Tutuola.*

Chez d'autres éditeurs

BORDS (Éditions Herman).

MECCANO OU L'ANALYSE MATRICIELLE DU LAN-GAGE (Éditions Sergio Tosi).

MIRÓ (Éditions Skira).

VLAMINCK (Éditions Skira).

IL PLEUT (Atelier de l'Olivette).

ANDRÉ FRÉNAUD (Éditions Le Divan).

FLOC-FLAC (Éditions Adélie).

DORMI, PLEURÉ (L'Inutile).

GUSTAVE LE BON (Éditions C.I.D.R.E.).

LE SYMBOLISME DU SOLEIL (Éditions C.I.D.R.E.).

RENDEZ-VOUS DE JUILLET, *avec Jean Queval* (Éditions Chavane).

MONUMENTS (Éditions du Moustié).

TEXTICULES (Galerie Louise Leiris)

BONJOUR, MONSIEUR PRASSINOS (Éditions F.A. Parisod).

LES IDÉES VIVENT DU SANG DES HOMMES (Éditions de la Goulotte).

HISTOIRE D'UN LIVRE, *avec Arnal* (Éditions Marval).

Composition Euronumérique.
Impression Bussière
à Saint-Amand (Cher), le 13 mai 2005.
Dépôt légal : mai 2005.
1ᵉʳ dépôt légal dans la collection : août 1995.
Numéro d'imprimeur : 052193/1.
ISBN 2-07-039357-7./Imprimé en France.